12,00

D0428483

LE BANQUET
PHÈDRE

PLATON

LE BANQUET

PHÈDRE

Traduction, notices et notes
par
Emile Chambry

GF
FLAMMARION

NOTICE

SUR LA VIE DE PLATON

Platon naquit à Athènes en l'an ~ 428-7 dans le dème de Collytos. D'après Diogène Laërce, son père, Ariston, descendait de Codros. Sa mère, Périctionè, sœur de Charmide et cousine germaine de Critias, le tyran, descendait de Dropidès, que Diogène Laërce donne comme un frère de Solon. Platon avait deux frères aînés, Adimante et Glaucon, et une sœur, Potonè, qui fut la mère de Speusippe. Son père, Ariston, dut mourir de bonne heure; car sa mère se remaria avec son oncle, Pyrilampe, dont elle eut un fils, Antiphon. Quand Platon mourut, il ne restait plus de la famille qu'un enfant, Adimante, qui était sans doute le petit-fils de son frère. Platon l'institua son héritier, et nous le retrouvons membre de l'Académie sous Xénocrate; la famille de Platon s'éteignit probablement avec lui; car on n'en entend plus parler.

La coutume voulait qu'un enfant portât le nom de son grand-père, et Platon aurait dû s'appeler, comme lui, Aristoclès. Pourquoi lui donna-t-on le nom de Platon, d'ailleurs commun à cette époque ? Diogène Laërce rapporte qu'il lui fut donné par son maître de gymnastique à cause de sa taille; mais d'autres l'expliquent par d'autres raisons. La famille possédait un domaine près de Képhisia, sur le Céphise, où l'enfant apprit sans doute à aimer le calme des champs, mais il dut passer la plus grande partie de son enfance à la ville pour les besoins de son éducation. Elle fut très soignée, comme il convenait à un enfant de haute naissance. Il apprit d'abord à honorer les dieux et à observer les rites de la religion, comme on le faisait dans toute bonne maison d'Athènes, mais sans mysticisme, ni superstition d'aucune sorte. Il gardera toute sa vie ce respect de la religion et l'imposera dans ses *Lois*. Outre la gymnastique et la musique, qui faisaient le fond de l'éducation athénienne, on prétend qu'il étudia aussi le dessin et la peinture. Il fut initié à la philosophie par un disciple d'Héraclite, Cratyle, dont il a donné le nom à un de ses traités. Il avait de grandes dispositions pour la poésie. Témoin des succès d'Euripide et d'Agathon, il composa lui aussi des tragédies, des poèmes lyriques et des dithyrambes.

Vers l'âge de vingt ans, il rencontra Socrate. Il brûla, dit-on, ses tragédies et s'attacha dès lors à la philosophie. Socrate s'était dévoué à enseigner la vertu à ses concitoyens : c'est par la réforme des individus qu'il voulait procurer le bonheur de la cité. Ce fut aussi le but que s'assigna Platon, car, à l'exemple de son cousin Critias et de son oncle Charmide, il songeait à se lancer dans la carrière politique; mais les excès des Trente lui firent horreur. Quand Thrasybule eut rétabli la constitution démocratique, il se sentit de nouveau, quoique plus mollement, pressé de se mêler des affaires de l'État. La condamnation de Socrate (~ 399) l'en dégoûta. Il attendit en vain une amélioration des mœurs politiques; enfin, voyant que le mal était incurable, il renonça à prendre part aux affaires; mais le perfectionnement de la cité n'en demeura pas moins sa grande préoccupation, et il travailla plus que jamais à préparer par ses ouvrages un état de choses où les philosophes, devenus les précepteurs et les gouverneurs de l'humanité, mettraient fin aux maux dont elle est accablée.

Il était malade lorsque Socrate but la ciguë, et il ne put assister à ses derniers moments. Après la mort de son maître, il se retira à Mégare, près d'Euclide et de Terpsion, comme lui disciples de Socrate. Il dut ensuite revenir à Athènes et servir, comme ses frères, dans la cavalerie. Il prit, dit-on, part aux campagnes de ~ 395 et de ~ 394, dans la guerre dite de Corinthe. Il n'a jamais parlé de ses services militaires, mais il a toujours préconisé les exercices militaires pour développer la vigueur.

Le désir de s'instruire le poussa à voyager. Vers ~ 390, il se rendit en Égypte, emmenant une cargaison d'huile pour payer son voyage. Il y vit des arts et des coutumes qui n'avaient pas varié depuis des milliers d'années. C'est peut-être au spectacle de cette civilisation fidèle aux antiques traditions qu'il en vint à penser que les hommes peuvent être heureux en demeurant attachés à une forme immuable de vie, que la musique et la poésie n'ont pas besoin de créations nouvelles, qu'il suffit de trouver la meilleure constitution et qu'on peut forcer les peuples à s'y tenir.

D'Egypte, il se rendit à Cyrène, où il se mit à l'école du mathématicien Théodore, dont il devait faire un des interlocuteurs du *Théétète*. De Cyrène, il passa en Italie, où il se lia d'amitié avec les pythagoriciens Philolaos, Archytas et Timée. Il n'est pas sûr que ce soit à eux qu'il ait pris sa croyance à la migration des âmes; mais il leur doit l'idée de l'éternité de l'âme, qui devait devenir la pierre angulaire de sa philosophie; car elle lui fournit la solution du problème de la connaissance. Il approfondit aussi parmi eux ses connaissances en arithmétique, en astronomie et en musique.

D'Italie, il se rendit en Sicile. Il vit Catane et l'Etna. A Syracuse, il assista aux farces populaires et acheta le livre de Sophron, auteur de farces en prose. Il fut reçu à la cour de Denys comme un étranger de distinction et il gagna à la philosophie Dion, beau-frère du tyran. Mais il ne s'accorda pas longtemps avec Denys, qui le renvoya sur un vaisseau en partance pour Egine, alors ennemie d'Athènes. Si, comme on le rapporte, il le livra au Lacédémonien Pollis, c'était le livrer à l'ennemi. Heureusement il y avait alors à Egine un Cyrénéen, Annikéris, qui reconnut Platon et le racheta pour vingt mines. Platon revint à Athènes, vraisemblablement en ∼ 388. Il avait quarante ans.

La guerre durait encore; mais elle allait se terminer l'année suivante par la paix d'Antalkidas. A ce moment, Euripide était mort et n'avait pas eu de successeur digne de lui. Aristophane venait de faire jouer son dernier drame, remanié, *le Ploutos*, et le théâtre comique ne devait retrouver son éclat qu'avec Ménandre. Mais si les grands poètes faisaient défaut, la prose jetait alors un vif éclat avec Lysias, qui écrivait des plaidoyers et en avait même composé un pour Socrate, et Isocrate, qui avait fondé une école de rhétorique. Deux disciples de Socrate, Eschine et Antisthène, qui tous deux avaient défendu le maître, tenaient école et publiaient des écrits goûtés du public. Platon, lui aussi, se mit à enseigner; mais au lieu de le faire en causant, comme son maître, en tous lieux et avec tout le monde, il fonda une sorte d'école à l'image des sociétés pythagoriciennes. Il acheta un petit terrain dans le voisinage du gymnase d'Académos, près de Colone, le village natal de Sophocle. De là le nom d'Aca-

démie qui fut donné à l'école de Platon. Ses disciples
formaient une réunion d'amis, dont le président était
choisi par les jeunes et dont les membres payaient sans
doute une cotisation.

Nous ne savons rien des vingt années de la vie de Platon
qui s'écoulèrent entre son retour à Athènes et son rappel
en Sicile. On ne rencontre même dans ses œuvres aucune
allusion aux événements contemporains, à la reconstitu-
tion de l'empire maritime d'Athènes, aux succès de
Thèbes avec Epaminondas, à la décadence de Sparte.
Denys l'Ancien étant mort en ∼ 368, Dion, qui comptait
gouverner l'esprit de son successeur, Denys le Jeune,
appela Platon à son aide. Il rêvait de transformer la
tyrannie en royauté constitutionnelle, où la loi et la
liberté régneraient ensemble. Son appel surprit Platon en
plein travail; mais le désir de jouer un rôle politique et
d'appliquer son système l'entraîna. Il se mit en route
en ∼ 366, laissant à Eudoxe la direction de son école. Il
gagna en passant l'amitié d'Archytas, mathématicien
philosophe qui gouvernait Tarente. Mais quand il arriva
à Syracuse, la situation avait changé. Il fut brillamment
reçu par Denys, mais mal vu des partisans de la tyrannie
et en particulier de Philistos, qui était rentré à Syracuse
après la mort de Denys l'Ancien. En outre, Denys
s'étant aperçu que Dion voulait le tenir en tutelle, le
bannit de Syracuse. Tandis que Dion s'en allait vivre à
Athènes, Denys retenait Platon, sous prétexte de recevoir
ses leçons, pendant tout l'hiver. Enfin quand la mer rede-
vint navigable, au printemps de l'année ∼ 365, il l'autorisa
à partir sous promesse de revenir avec Dion. Ils se sépa-
rèrent amicalement, d'autant mieux que Platon avait
ménagé à Denys l'alliance d'Archytas de Tarente.

De retour à Athènes, Platon y trouva Dion qui menait
une vie fastueuse. Il reprit son enseignement. Cependant
Denys avait pris goût à la philosophie. Il avait appelé
à sa cour deux disciples de Socrate, Eschine et Aristippe
de Cyrène, et il désirait revoir Platon. Au printemps de
∼ 361, un vaisseau de guerre vint au Pirée. Il était com-
mandé par un envoyé du tyran, porteur de lettres d'Archytas et de Denys, où Archytas lui garantissait sa
sûreté personnelle, et Denys lui faisait entrevoir le
rappel de Dion, pour l'année suivante. Platon se rendit à
leurs instantes prières et partit avec son neveu Speusippe.
De nouveaux déboires l'attendaient : il ne put convaincre
Denys de la nécessité de changer de vie. Denys mit

l'embargo sur les biens de Dion. Platon voulut partir; le tyran le retint, et il fallut l'intervention d'Archytas pour qu'il pût quitter Syracuse, au printemps de ~ 360. Il se rencontra avec Dion à Olympie. On sait comment celui-ci apprenant que Denys lui avait pris sa femme, pour la donner à un autre, marcha contre lui en ~ 357, s'empara de Syracuse et fut tué en ~ 353. Platon lui survécut cinq ans. Il mourut en ~ 347-6, au milieu d'un repas de noces, dit-on. Son neveu Speusippe lui succéda. Parmi les disciples de Platon, les plus illustres quittèrent l'école. Aristote et Xénocrate se rendirent chez Hermias d'Atarnée, Héraclide resta d'abord à Athènes, puis alla fonder une école dans sa patrie, Héraclée. Après la mort de Speusippe, Xénocrate prit la direction de l'Académie, qui devait subsister jusqu'en 529 de notre ère, année où Justinien la fit fermer.

LE BANQUET

LE BANQUET

DISCOURS DE PHÈDRE

....

NOTICE SUR LE BANQUET

ARGUMENT

Le *Banquet* est quelquefois désigné sous le nom de
Discours sur l'amour. C'est en effet une suite de discours
qui furent censés tenus au banquet donné par le poète
Agathon, quand il remporta le prix au concours de
tragédie, avec son premier ouvrage ($\sim$ 416).

Un ami d'Apollodore, disciple de Socrate, le prie de
raconter ce qui s'était dit à ce banquet. Justement
quelques jours auparavant un certain Glaucon lui avait
déjà fait la même demande : il se trouvait donc bien
préparé à faire le récit de cet entretien. Ce n'est pas
qu'il eût pris part lui-même au banquet, lequel remontait
à quelque seize années plus tôt; mais il avait été renseigné
par un disciple fidèle de Socrate, Aristodème, et, en
questionnant Socrate lui-même sur certains détails, il
s'était convaincu de la véracité et de l'exactitude du
narrateur. Or voici ce que racontait Aristodème.

Socrate, se rendant à l'invitation d'Agathon, rencontre
Aristodème et l'engage à l'accompagner. Aristodème se
laisse emmener; mais, pendant le trajet, Socrate s'arrête,
absorbé dans une méditation profonde, et le laisse entrer
seul chez Agathon. C'est en vain qu'on l'appelle : il ne
viendra que lorsqu'il aura trouvé ce qu'il cherche. Il
arrive en effet au milieu du souper, et prend place à la
droite d'Agathon. Le repas fini, Pausanias et Aristophane,
qui ont déjà fêté la veille le triomphe d'Agathon, déclarent
qu'ils veulent se ménager et boire avec modération.
Profitant de ces dispositions, le médecin Eryximaque,
partisan de la tempérance, propose de renvoyer la joueuse
de flûte et de lier quelque conversation. « Mon ami
Phèdre, dit-il, s'indigne qu'aucun poète n'ait encore fait
l'éloge de l'Amour, un si grand dieu! Si vous voulez,
nous paierons à ce dieu le tribut de louanges qu'il mérite,

et chacun de nous fera un discours en son honneur. »
Socrate, qui fait profession de ne savoir que l'amour,
accepte la proposition en son nom et au nom de toute la
compagnie. C'est Phèdre qui commencera.

DISCOURS DE PHÈDRE

L'Amour, dit-il, est le plus ancien des dieux; car on ne
lui connaît ni père, ni mère. C'est aussi le dieu qui fait
le plus de bien aux hommes; car il leur inspire la honte
du mal et l'émulation du bien. Un amant en effet n'oserait s'avilir par une mauvaise action devant celui qu'il
aime, de sorte qu'un Etat composé d'amants et d'aimés
serait le plus vertueux de tous.

L'amour inspire encore le courage et le dévouement,
vertus qui sont récompensées par les dieux, témoin
Alceste qu'ils ont rendue à la vie, et Achille qu'ils ont
placé dans le séjour des bienheureux, tandis qu'Orphée,
qui n'eut pas le courage de mourir, en a été puni par les
femmes de Thrace. « Je conclus, dit Phèdre, que de tous
les dieux l'Amour est le plus ancien, le plus auguste et
le plus capable de rendre l'homme vertueux et heureux
durant sa vie et après sa mort. »

DISCOURS DE PAUSANIAS

Pausanias prend ensuite la parole. Il commence par
critiquer le discours de Phèdre. Phèdre, dit-il, a parlé
comme s'il n'y avait qu'un seul Amour; mais, comme
il y a deux Aphrodites, une céleste et une populaire, il
y a aussi deux Amours, dont il faut distinguer les fonctions
si l'on veut les louer suivant leurs mérites. L'Amour de
l'Aphrodite populaire, qui s'attache au corps sans distinction de sexe, plutôt qu'à l'âme, n'inspire que des
actions basses. Mais l'Amour de l'Aphrodite céleste, qui
s'attache au sexe masculin, naturellement plus fort et
plus intelligent, forme les belles liaisons qui durent toute
la vie. Ce sont les sectateurs de l'Amour populaire qui
ont jeté le discrédit sur cette sorte d'amour.

L'opinion sur ce point diffère d'ailleurs suivant les
pays. Dans tous les Etats grecs, à l'exception d'Athènes *,

* Le texte ajoute : « et de Lacédémone »; mais l'authenticité de cette
addition est contestée.

l'opinion est simple. En Elide, en Béotie on approuve le commerce des amants tout bonnement par pauvreté d'esprit, parce qu'on ignore l'art de gagner les cœurs par les paroles. En Asie et chez les barbares, on le proscrit, parce qu'il est dangereux pour les tyrans, comme le prouve l'exemple d'Harmodios et d'Aristogiton. A Athènes, l'opinion est complexe. On applaudit à toutes les folies de l'amour, et cependant les parents veillent avec un soin jaloux sur leurs enfants, pour les empêcher de causer avec ceux qui les recherchent. D'où vient cette anomalie ? C'est que l'amour n'est de soi ni beau ni laid ; il est beau, si l'on aime suivant les règles de l'honnêteté ; il est laid, si l'on aime contre ces règles. Or il est déshonnête d'accorder ses faveurs à un homme vicieux et pour de mauvais motifs ; mais il est beau de se donner à un homme vertueux, pour se perfectionner par son secours dans la vertu.

DISCOURS D'ÉRYXIMAQUE

Un hoquet malencontreux empêchant Aristophane de parler, Eryximaque prend sa place, non sans lui avoir copieusement indiqué les remèdes propres à l'en débarrasser. Eryximaque, qui est versé dans la médecine et dans les sciences naturelles, essaye d'établir que l'Amour étend son empire non seulement sur l'âme de l'homme, mais sur toute la nature animée et inanimée. Ici la définition de l'amour s'élargit : il devient l'union et l'harmonie des contraires, et il comporte la même dualité que l'amour humain. La médecine en fournit un premier exemple. Le corps contient des parties saines et des parties malades qui ont des désirs et des amours différents : il est beau de céder à ce qui est sain et bon, honteux de complaire à ce qui est malade et dépravé. La médecine est la science de l'amour dans les corps, relativement à la réplétion et à l'évacuation, et l'habile médecin est celui qui sait établir l'harmonie entre les contraires, comme le froid et le chaud, le sec et l'humide, l'amer et le doux.

La gymnastique et l'agriculture sont également soumises à l'amour. La musique est la science de l'amour relativement à l'harmonie et au rythme ; car c'est l'amour qui, d'éléments opposés, comme le grave et l'aigu, les longues et les brèves, produit l'harmonie et le rythme.

Dans la constitution de l'harmonie et du rythme, il n'y a pas de place pour les deux amours; mais on les retrouve dans l'application, c'est-à-dire dans la composition et dans l'éducation : ici l'artiste doit cultiver l'amour élevé et répudier l'amour vulgaire.

En astronomie, les effets de l'amour réglé se révèlent dans l'heureuse harmonie des éléments climatériques, qui produit la fertilité, et ceux de l'amour déréglé dans les pestes, les maladies des plantes, les gelées. L'astronomie est la science de l'amour en ce qui regarde les mouvements des astres et les saisons de l'année.

Enfin la religion et la divination nous apprennent à choisir le meilleur amour vis-à-vis des vivants, des morts et des dieux; l'impiété est l'effet de l'amour désordonné.

Ainsi la puissance de l'amour est universelle : quand il s'applique au bien et qu'il est réglé par la justice et la tempérance, il nous procure une félicité parfaite, en nous faisant vivre en paix les uns avec les autres, et en nous conciliant la bienveillance des dieux.

DISCOURS D'ARISTOPHANE

A Eryximaque succède Aristophane dont le hoquet a cessé. L'Amour, dit-il, est le protecteur et le médecin des hommes; il les guérit des maux qui les empêchent d'être heureux. Pour juger de ses bienfaits, il faut connaître ce qu'était jadis la nature humaine. Il y avait trois sortes d'hommes : l'homme double, la femme double et l'homme-femme ou androgyne. Ils étaient de forme ronde, avaient quatre bras, quatre jambes, et deux visages opposés l'un à l'autre sur une seule tête. Vigoureux et audacieux, ils tentèrent d'escalader le ciel. Pour les punir, Zeus les coupa en deux, leur tourna le visage du côté de la coupure, afin que la vue du châtiment les rendît plus modestes, et chargea Apollon de guérir la plaie. Mais dès lors chaque moitié rechercha sa moitié, et quand elles se retrouvaient, elles s'étreignaient avec une telle ardeur de désir qu'elles se laissaient mourir dans cet embrassement de faim et d'inaction. Pour empêcher la race de s'éteindre, Zeus mit par-devant les organes de la génération, qui étaient restés par-derrière. De cette manière les hommes purent apaiser leurs désirs et enfanter, et c'est ainsi que l'Amour rétablit l'unité primitive.

Chacun de nous n'est donc qu'une moitié d'homme,

et cherche sa moitié. Ceux qui proviennent des androgynes aiment le sexe différent du leur; les femmes qui proviennent de la double femme primitive aiment les femmes, et les hommes qui proviennent de la division du double homme aiment les hommes, et ce sont les meilleurs. Lorsque chaque moitié rencontre sa moitié, l'amour les saisit d'une si merveilleuse façon qu'elles ne veulent plus se séparer : elles aspirent à se fondre ensemble et à refaire ainsi l'unité primitive.

Comme c'est l'impiété qui a causé la séparation, c'est la piété envers les dieux qui nous gagnera la faveur du dieu Amour, et qui nous fera retrouver le bonheur avec l'autre partie de nous-même.

DISCOURS D'AGATHON

Agathon à son tour critique la méthode de ceux qui ont parlé avant lui. Ils ont, dit-il, moins loué le dieu qu'ils n'ont félicité les hommes d'avoir un tel bienfaiteur. La vraie manière de le louer, c'est d'expliquer d'abord ce qu'il est, puis ce qu'il fait pour les hommes. Or l'Amour est d'abord le plus heureux des dieux, puisqu'il est le plus beau et le meilleur. Il est le plus beau, puisqu'il est le plus jeune des dieux, comme le prouve son aversion pour la vieillesse; il est aussi le plus délicat, puisqu'il fait sa demeure dans les cœurs les plus tendres; il est le plus subtil : autrement il ne pourrait se glisser inaperçu dans les âmes ni en sortir de même; il a la grâce, il a la fraîcheur du teint, car il ne vit que parmi les fleurs et les parfums. Il est bon, parce qu'il ignore la violence et la contrainte; il est le plus tempérant, puisqu'il l'emporte sur le plaisir, tout plaisir étant inférieur à l'amour; le plus courageux, puisqu'il triomphe d'Arès, le plus courageux des dieux; le plus habile, puisqu'il inspire les poètes et les artistes, qu'il a été le précepteur des dieux mêmes et qu'il a détrôné la Nécessité, qui régnait sur eux, pour mettre à sa place l'amour du beau et la concorde. L'Amour communique aux hommes les dons qu'il possède lui-même, la beauté et la bonté. Il est le bien et le charme de la société humaine, l'objet de l'admiration et du désir des hommes et des dieux, l'auteur de tout plaisir, le consolateur de nos peines, le guide de notre vie, le bienfaiteur dont tout mortel doit chanter les louanges.

DISCOURS DE SOCRATE ET DE DIOTIME

Socrate parle le dernier. Après avoir payé à Agathon
son tribut d'éloges, non sans ironie, il marque aussitôt
la différence de sa méthode et de celle des précédents
orateurs. Ils ont fait hommage à l'Amour de toutes les
perfections, sans s'inquiéter si elles étaient vraies ou
fausses. Lui ne sait pas louer ainsi; il ne sait que dire la
vérité. Il fondera d'abord son discours sur une définition
exacte et écartera les idées fausses que le vulgaire se
forme de l'Amour. Pour cela il a recours à sa dialectique
ordinaire, et il engage la discussion avec Agathon. —
Réponds-moi, lui dit-il, l'Amour est-il l'amour de quelque
chose ou de rien? — De quelque chose assurément. —
L'Amour désire-t-il ce qu'il aime? — Oui. — Possède-
t-on ce qu'on désire? — Non. — Or tu dis que l'Amour
aime et désire la beauté. Il en manque donc, et comme
le beau est en même temps bon, il manque donc aussi
de bonté? — Il faut l'avouer.

Au lieu de poursuivre cet interrogatoire qui tournerait
à la confusion d'Agathon, Socrate feint de céder la
parole à Diotime, femme de Mantinée, savante en tout
ce qui touche à l'amour. C'est elle qui l'a éclairé sur la
vraie nature de l'Amour. Après lui avoir prouvé qu'il
n'est ni beau ni bon, elle lui montre qu'il n'est pas pour
cela laid ni mauvais, mais qu'il tient le milieu entre l'un
et l'autre. Il n'est pas un dieu, puisqu'il manque du
beau et du bon qui sont le partage de tous les dieux, mais
il n'est pas non plus mortel : c'est un démon, c'est-à-dire
un être intermédiaire entre les dieux et les hommes,
chargé d'assurer les rapports entre eux.

Ce démon est fils de Poros (la Ressource) et de Pénia
(la Pauvreté), qui le conçut le jour de la naissance
d'Aphrodite, dont il devint le compagnon et le serviteur.
Comme sa mère, il est pauvre, maigre, mal vêtu, indigent;
mais de son père il tient le désir du bon et du beau, la
hardiesse, l'esprit d'entreprise, l'amour de la sagesse.
Si Socrate se le figurait autrement, c'est qu'il croyait que
l'Amour est ce qui est aimé, et non ce qui aime.

De quelle utilité ce démon est-il aux hommes? C'est
le second point du discours de Diotime. L'Amour est
l'amour du beau et du bon; car le beau et le bon sont
choses inséparables. Il désire le posséder toujours pour

être heureux. Mais on n'appelle pas amour toute recherche du bonheur; le mot ne s'applique qu'à une sorte d'acte, la génération dans la beauté, soit par le corps, soit par l'âme. La génération est une œuvre divine, et la laideur ne peut s'accorder avec le divin : la beauté seule le peut. Et pourquoi la génération est-elle l'objet de l'amour? C'est qu'elle assure à l'homme l'immortalité, au moins l'immortalité que comporte notre nature mortelle. Or le désir du bon ne va pas sans le désir de l'immortalité, puisque l'amour consiste à désirer que le bon nous appartienne toujours.

C'est ce désir de l'immortalité qui explique la passion sexuelle et l'amour de leurs petits qui est si frappant chez tous les animaux, puisque le seul moyen d'être immortel, dans ce monde sujet au changement, est la génération qui substitue un individu jeune à un vieux et assure ainsi aux hommes la perpétuité. C'est le désir de l'immortalité qui gouverne les actions des hommes. Ceux qui sont féconds selon le corps aiment les femmes, parce qu'ils croient se procurer l'immortalité en procréant des enfants. Ceux qui sont féconds selon l'esprit cherchent une belle âme pour y enfanter des vertus qui doivent vivre à jamais, et le lien de ces mariages d'âmes est plus fort que celui des liaisons charnelles.

Jusqu'ici nous ne sommes arrivés qu'au premier degré de l'amour. Il nous faut monter jusqu'au degré suprême et nous élever des beautés d'ici-bas jusqu'à la beauté absolue, en gravissant un par un tous les degrés de l'échelle. On doit d'abord aimer un beau corps, puis, comprenant que la beauté d'un corps est sœur de la beauté qui se trouve dans tous les autres, aimer tous les beaux corps; puis regarder la beauté de l'âme comme supérieure à celle du corps; on verra alors la beauté qui est dans les lois et les actions des hommes. Des actions des hommes on passera aux sciences pour en contempler la beauté, et enfanter avec une fécondité inépuisable les discours et les pensées les plus magnifiques de la philosophie, jusqu'à ce qu'enfin on arrive à ne plus voir qu'une seule science, celle de la beauté absolue, idéale, éternelle, de laquelle participent toutes les belles choses. Vivre pour contempler cette beauté est la seule vie digne d'être vécue. L'homme qui vivra dans cette contemplation engendrera, non des images de vertu, mais des vertus véritables, il sera aimé des dieux, et si jamais un homme peut prétendre à l'immortalité, ce sera celui-là.

DISCOURS D'ALCIBIADE

Aristophane allait répliquer à Socrate quand on
entendit un grand fracas à la porte. C'était Alcibiade,
accompagné d'une bande de buveurs, qui demandait
à entrer pour couronner Agathon. Il ceint de bandelettes
la tête du poète; mais il aperçoit Socrate et feint d'être
jaloux de le voir assis près du bel Agathon; il ne laisse
pas pourtant de redemander une partie de ses bandelettes au poète pour en couronner la merveilleuse tête de
Socrate. Puis il se proclame roi du festin et demande
qu'on boive à pleines coupes. Mais Eryximaque le prie
de faire comme les autres convives et de prononcer à
son tour un éloge de l'Amour. Alcibiade répond qu'en
présence de Socrate il n'oserait louer personne, ni dieu,
ni homme. Il fera si l'on veut l'éloge de Socrate. On le
prie de le faire. « Socrate, dit-il, ressemble à ces Silènes
qui renferment des images des dieux et au satyre
Marsyas : il est, comme lui, un effronté moqueur et un
joueur de flûte supérieur à lui, car, sans instrument, par
de simples discours, il tient tout le monde sous le charme.
Jamais, pour ma part, ni Périclès ni les autres grands
orateurs ne m'ont ému comme lui; il me fait rougir
de la vie que je mène et me rend mécontent de moi-
même. J'ai dit qu'il ressemblait aux Silènes; en effet,
quand il parle sérieusement et qu'il s'ouvre enfin, que
de trésors divins l'on voit en lui! Il a l'air d'aimer les
beaux jeunes gens; au fond il dédaigne leur beauté,
comme il dédaigne la richesse et les autres avantages
dont les hommes sont vains. Je le sais par expérience.
Le croyant épris de ma beauté, j'essayai de le séduire,
dans l'espoir qu'il me communiquerait sa science; mais
j'eus beau me ménager des tête-à-tête avec lui, le défier
à des exercices de gymnastique, l'inviter à souper et le
retenir sous mon toit, il n'eut que du dédain pour ma
beauté : sa tempérance est invincible. Puis, nous fîmes
campagne ensemble à Potidée; là, je le vis surpasser tout
le monde par son endurance et étonner l'armée par sa
facilité à supporter le froid. Il me sauva la vie dans
cette expédition, et c'est lui qui méritait le prix de la
valeur qui me fut attribué. A Délion, sa fière attitude
pendant la retraite tint à l'écart tous ceux qui auraient
eu la velléité de l'attaquer. Mais ce qui est le plus admi-

rable en lui, c'est l'originalité de ses discours ; eux aussi ressemblent aux Silènes : grossiers d'apparence, ils renferment un sens divin. Voilà ce que j'avais à dire de Socrate. Profite de mon expérience, Agathon, et ne te laisse pas prendre au jeu de cet homme qui, sous couleur d'aimer, capte l'amour d'autrui. »

ÉPILOGUE

On rit de la candeur d'Alcibiade. Socrate détourna l'attention des louanges qu'il venait de recevoir en badinant sur la jalousie du jeune homme, et en priant Agathon de n'y point avoir égard et de venir plutôt s'asseoir à sa droite, pour qu'il fît son éloge. Mais une nouvelle bande de buveurs arriva qui remplit toute la salle de tumulte. On se remit à boire jusqu'à ce que le sommeil eût réduit les plus intrépides. Socrate seul tint jusqu'au matin, puis se rendit à ses occupations habituelles.

L'AMOUR DANS LE PHÈDRE

Le *Banquet* n'est pas le seul ouvrage où Platon ait traité de l'amour. La plus grande et la plus belle partie du *Phèdre* est consacrée à la même question. Platon y distingue deux espèces d'amour, l'amour vulgaire et l'amour honnête. L'amour vulgaire, qui ne vise qu'au plaisir, est égoïste, jaloux, tyrannique ; il ne va jamais sans injures et querelles violentes et il aboutit fatalement à la brouille et à l'abandon. Les deux discours où Lysias et Socrate exposent ces idées sont comme le commentaire du passage où Pausanias établit l'existence de l'Amour vulgaire, serviteur de l'Aphrodite populaire. L'amour honnête correspond à l'Amour céleste, serviteur de l'Aphrodite céleste. La doctrine est donc la même dans les deux ouvrages ; mais elle est présentée d'une manière différente. Dans le *Phèdre*, elle est rattachée au système des Idées et de la réminiscence. Les âmes humaines ont jadis suivi le cortège des dieux, lorsqu'ils vont contempler de l'autre côté du ciel le monde des Idées. Mais, entravées dans leur essor par les passions brutales, elles n'ont pu, et pas toutes, que l'entrevoir, pour retomber ensuite sur la terre. Une seule Idée, celle de la Beauté, dont l'éclat resplendit entre toutes les autres, a

laissé en elles un souvenir durable; et toutes les fois
qu'ici-bas elles rencontrent quelque objet où brille
l'image de la beauté absolue, elles s'élancent vers lui,
elles l'aiment, ou plutôt elles aiment la beauté absolue
dont il porte le reflet. Cette théorie a séduit les poètes
depuis Pétrarque jusqu'à nos jours, et son règne n'est
pas fini, parce qu'elle contient une part de vrai. Quand
nous recevons le coup de foudre, par exemple, n'est-ce
pas l'idéal révélé soudain qui ravit tout notre être ? Il
est vrai que nous ne remontons point dans le ciel pour y
trouver l'origine de cet idéal : il est en nous, il est notre
œuvre, et voilà pourquoi il diffère en chacun de nous.

L'AMOUR DANS LE BANQUET

Le *Banquet* nous offre une autre explication de l'amour.
Diotime, qui représente Platon lui-même, le définit la
génération dans la beauté, et le rattache au désir d'immortalité qui travaille tous les êtres vivants. L'homme veut
se survivre à lui-même, et tous les travaux des ambitieux
et des artistes ont pour but l'immortalité; mais leurs
efforts ne perpétuent que leur nom, tandis que l'amour
perpétue l'homme lui-même dans ses enfants. Voilà
pourquoi c'est un sentiment universel, qui gouverne
non seulement les hommes, mais tous les êtres vivants.
Cette explication de l'irrésistible instinct qui porte les
sexes l'un vers l'autre est certainement ce que l'on a
trouvé jusqu'ici de plus juste et de plus profond sur ce
sujet.

Mais Platon va plus loin. Il prétend que la génération
charnelle n'est que le premier degré de l'amour, et
qu'une âme bien née doit s'élever de l'amour des corps
à l'amour des âmes, puis à l'amour des sciences, pour
aboutir à l'amour de la beauté absolue, théorie fameuse,
qui égale en célébrité celle du *Phèdre*, mais plus brillante
que solide. Elle repose en effet sur la confusion de choses
d'un ordre tout à fait différent. L'amour proprement dit,
la vertu et la science n'ont pas le même but et ne relèvent
pas des mêmes facultés. L'amour est un instinct physique
qui vise à la perpétuité de l'espèce; la vertu relève de la
conscience et recherche la perfection individuelle; enfin
la science naît de la curiosité et a pour objet la connaissance. Le fossé qui sépare ces trois choses nous paraît
infranchissable. Il n'existait pas pour Platon qui soutient

partout que le beau, le bien et le vrai sont inséparables, que tout ce qui est bon est beau, et que connaître le bien, c'est le faire. Dès lors l'enthousiasme qu'il ressent pour la beauté lui semble du même ordre que celui que lui inspirent la vertu et la science.

Platon commet une autre confusion quand il prend pour de l'amour ce qui n'en est qu'une déviation maladive. A ses yeux l'amour de la femme est un amour inférieur; seul, l'amour de l'homme pour l'homme est digne de séduire une âme généreuse, née pour la philosophie. Il est vrai que cet amour doit avoir pour but l'enfantement de la science et de la vertu dans l'âme du bien-aimé. Le manteau de la philosophie sert à couvrir ici de singuliers égarements, et l'on aurait bien de la peine à prendre Platon au sérieux si l'on ne savait combien il est difficile aux meilleurs esprits d'échapper aux erreurs de leur temps *.

On trouve encore dans le Banquet deux autres explications de l'amour, ce dont il ne faut pas s'étonner, car l'amour est un sentiment complexe, qu'on peut considérer de points de vue divers. Le médecin Eryximaque explique l'harmonie du monde par l'amour, qui est l'union des contraires. Chez les hommes aussi les contraires s'attirent, et c'est leur attrait réciproque qui constitue l'amour humain : c'est parce que l'homme et la femme diffèrent qu'ils sont portés à se rapprocher; la faiblesse attire la force et de leur union résulte l'harmonie. A cette théorie métaphysique, Aristophane oppose la doctrine contraire du semblable attiré par le semblable. Selon lui, nous ne sommes plus que des moitiés d'homme, et chacun de nous cherche sa moitié pour reformer l'unité primitive. Ainsi, tout en partant d'un principe opposé, la théorie d'Aristophane aboutit à l'unité, comme celle d'Eryximaque, mais elle est moins exacte et moins vraie. L'amour est lent à se former entre des personnes qui se ressemblent, elles s'arrêtent plutôt à l'amitié; il éclate au contraire subitement et avec violence entre des personnes de caractère opposé. Ce que nous cherchons, entre autres choses, dans l'amour, c'est l'attrait de l'inconnu, et lorsque notre curiosité est

_____

* Il faut noter pourtant que dans le Banquet de Xénophon, Socrate s'élève résolument contre la pédérastie. Il est vraisemblable que Platon, si tendre à la beauté masculine, prête ici encore ses propres idées à son maître.

satisfaite, notre passion s'émousse et fait place à l'indifférence : c'est ce qui explique l'inconstance, une des misères que l'amour traîne à sa suite.

Malgré la variété des points de vue où Platon s'est placé, il n'a pas épuisé le sujet, qui d'ailleurs va se compliquant avec le progrès de la civilisation ; car l'humanité se comporte envers l'amour comme les orateurs du *Banquet* : elle le pare de toutes les perfections et lui fait hommage de tout ce qu'elle invente et découvre de raffinements et de délicatesses dans le monde du sentiment. Mais son regard pénétrant a démêlé l'essentiel ; il a su discerner dans l'obscurité de l'instinct le but que poursuit la nature et les moyens dont elle se sert pour y conduire les hommes. Ce n'était pas sans raison que Socrate, ou plutôt Platon qui parle par sa bouche, se vantait d'être savant en amour.

LA COMPOSITION DU DIALOGUE

La forme du dialogue ordinaire, comme ceux que Socrate engageait à la Lesché, au gymnase ou dans la rue, se fût prêtée difficilement à l'exposition de ces théories variées. Platon a trouvé pour les placer un cadre approprié à leur diversité, celui d'un banquet terminé par une conversation réglée sur un sujet choisi. La vogue de la rhétorique au temps de la guerre du Péloponnèse avait mis à la mode ces sortes de divertissements littéraires. Platon, comme Xénophon et les autres socratiques, met à profit cet usage nouveau. Chacun des convives exposera une face de la question : Phèdre, les effets bienfaisants de l'amour dans l'Etat ; Pausanias, la distinction des deux amours qui est comme une première ébauche du discours de Diotime ; Eryximaque, le rôle de l'amour au point de vue cosmogonique et la théorie des contraires ; Aristophane, celle des semblables, et Agathon, le principe que l'amour est l'amour du beau, principe sur lequel Socrate, le vrai porte-parole de Platon, va fonder, à son tour, la doctrine de l'amour charnel et de l'amour philosophique. Après la théorie viendra l'exemple du parfait amant réalisé dans Socrate, âme divine qui, déjà détachée de la beauté terrestre, n'est pas loin du dernier terme de l'initiation à l'amour, la contemplation de la beauté absolue. C'est Alcibiade, convive inattendu, qui ajoutera ce couronnement à l'ouvrage. Tel est le cadre où s'ajustent ces diverses théories de l'amour complétées par le vivant exemple de Socrate.

LES PERSONNAGES

Quant aux personnages qui s'y meuvent, ce ne sont pas de simples porte-parole : ce sont des hommes copiés sur le vif. Platon aurait sans doute illustré son nom dans l'art dramatique, si la philosophie ne l'avait de bonne heure enlevé à la scène. En tout cas, il sait donner au plus insignifiant de ses personnages un caractère particulier, et chacun de ses ouvrages est une galerie d'originaux. Il y a, par exemple, dans le *Banquet* deux figures tout à fait accessoires, celles d'Aristodème et d'Apollodore. Elles n'en sont pas moins nettement dessinées. Ce sont deux sectateurs enthousiastes de Socrate, qui le suivent pas à pas, notent ses discours, et les rapportent avec la conviction de contribuer au grand édifice de la philosophie; mais chacun d'eux est marqué d'un trait qui lui est propre : c'est l'humeur contre les mondains qui méprisent la philosophie chez Apollodore, c'est la modestie chez Aristodème.

PHÈDRE

Voici maintenant les figures des personnages importants. C'est d'abord Phèdre, le jeune Athénien enthousiaste, passionné pour toutes les nouveautés, avide de discussions et de discours, courant des leçons du sophiste Hippias à celles du rhéteur Lysias, auditeur assidu de Socrate : tel nous le voyons dans le *Phèdre*, tel nous le retrouvons ici.

PAUSANIAS

C'est ensuite Pausanias, l'amant d'Agathon, fougueux sectateur du plaisir sensuel, dont il s'était fait le défenseur dans un traité donné au public. Platon adoucit la crudité de ses opinions et couvre d'un spécieux prétexte sa passion grossière, car il ne faut pas qu'il se trouve en opposition avec Socrate et rompe par sa brutalité l'harmonie générale de l'ouvrage. Il se présente donc comme un partisan résolu de l'amour des garçons, mais

il y met de la décence; il est habile à manier la parole
et versé dans l'art des distinctions subtiles : c'est un bon
disciple d'Isocrate.

ÉRYXIMAQUE

Eryximaque est le pédant de la compagnie : il a de
solides connaissances non seulement en médecine, mais
dans les sciences naturelles, et il ne manque jamais
l'occasion de faire une leçon et d'étaler son érudition.
L'humeur maligne d'Aristophane se donne carrière à ses
dépens, mais avec l'urbanité qui convient dans une réunion d'honnêtes gens.

ARISTOPHANE

Platon a copié sur le vif la manière d'Aristophane.
C'est un poète à qui les idées abstraites se présentent
sous des formes concrètes, d'une drôlerie, d'une originalité saisissantes. Cette invention bizarre des hommes
doubles, dont il peint la forme et les avatars avec des
détails plastiques si minutieux qu'on oublie l'invraisem-
blance, rappelle certaines scènes des *Oiseaux* et de *Lysis-
trata* dont Platon s'est heureusement inspiré.

AGATHON

A la force comique d'Aristophane s'oppose la rhétorique solennelle et fleurie d'Agathon, en qui l'on reconnaît l'élève de Gorgias. C'est un homme du monde, riche
et de belles manières. Vrai poète, il ne descend pas dans
les détails ennuyeux de l'économie domestique et laisse
ses esclaves diriger sa maison. Il est beau, il a du talent,
et il accepte la louange, sans que jamais sa modestie
s'en effarouche. Il ne faut pas s'en étonner; Socrate non
plus ne proteste pas contre les louanges d'Alcibiade : les
anciens ne connaissent pas notre fausse modestie; leur
vanité est naïve, et cette naïveté, tout en nous faisant
sourire, nous dispose à l'indulgence *.

---

* *Il faut comparer au portrait d'Agathon tracé par Platon celui qu'Aristophane en a fait dans les* Thesmophories.

SOCRATE

Entre tous ces orateurs, Socrate se distingue par son amour de la vérité. Au lieu de faire comme ceux qui ont parlé avant lui et d'attribuer à l'Amour toutes les perfections de la terre et du ciel, il s'attache uniquement à chercher et à dire la vérité. Pour lui, la seule méthode qui la fasse découvrir est la dialectique. Or la loi du festin lui impose un discours suivi. Plutôt que de déroger à la méthode de la dialectique, il a recours à un subterfuge : il simule un entretien avec Diotime. On y retrouve le chasseur infatigable, qui poursuit le vrai de question en question et qui s'élève degré par degré jusqu'aux régions inaccessibles aux mortels, où planent les purs esprits. Alcibiade complète le portrait, en nous faisant voir la continence, l'endurance, le courage, la puissance de réflexion et de parole de cet amant de la beauté, de la vérité et de la vertu.

ALCIBIADE

Enfin le dernier venu, Alcibiade, est peint avec une naïveté charmante. Beau comme Agathon, riche comme lui, il est fier de sa beauté, orgueilleux de son rang; il a les manières d'un homme qui se sait élevé au-dessus des autres; il raille, mais sans aigreur; il est frivole, il aime la popularité. Mais comme il nous plaît par sa belle humeur, la franchise avec laquelle il avoue ses défauts et ses inconséquences, et surtout son admiration enthousiaste pour Socrate, qui révèle le plus beau naturel!

LES TRAITS DE MŒURS

Cette vérité des personnages donne un charme particulier à leurs discours. Nous nous croyons transportés dans un banquet véritable, au milieu d'Athéniens du Vᵉ siècle qui s'amusent à traiter des plus hautes questions philosophiques, comme d'autres s'amuseraient à parler de combats de coqs ou de courses de chevaux. Une chose augmente encore l'illusion, ce sont les détails familiers que Platon laisse tomber sans y penser, sans en avoir

l'air du moins, pour ajouter à la vraisemblance du récit.
Au début, c'est une discussion entre Apollodore et un
ami, dont tous les traits sont calculés pour éveiller l'intérêt et la curiosité; puis ce sont les intermèdes pleins
de détails empruntés à la réalité. Un convive se présente-
t-il : un esclave vient lui laver les pieds. Le repas fini,
on fait des libations, on chante le péan et l'on n'oublie
aucune des cérémonies qui sont de règle en pareille
occasion. Dans le cours de la réunion, Alcibiade arrive
avec une bande de joyeux buveurs, soutenu par une
joueuse de flûte; il se nomme lui-même roi du festin et
ordonne aux convives de boire à pleines coupes. Puis
une autre bande avinée fait irruption dans la salle et le
banquet philosophique se termine en une orgie tapa-
geuse, où tous les convives s'endorment successivement,
à l'exception de l'invincible Socrate. Tous ces traits de
mœurs jetés dans le cours du récit, avec brièveté et dis-
crétion, ne reposent pas seulement le lecteur de l'attention que réclament les longs discours; ils découvrent à
ses yeux la salle du festin, les hôtes, leurs figures, leurs
divertissements. Il est devenu par un coup de baguette
magique le témoin muet, mais charmé du banquet
d'Agathon; il écoute les discours du plus illustre des
philosophes et du plus aimable des Athéniens, et le livre
est fini que son illusion dure encore.

LES DATES DU BANQUET,
DU RÉCIT ET DE LA COMPOSITION

Le texte même de Platon permet de déterminer
l'époque où eut lieu le banquet d'Agathon. L'ami d'Apollodore lui ayant demandé en quel temps eut lieu la réunion : « En un temps, répond Apollodore, où nous étions
encore enfants, lorsque Agathon remporta le prix avec sa
première tragédie, le lendemain du jour où il offrit avec
ses choreutes le sacrifice de victoire. » (173 a). Or nous
savons par Athénée (v. 217 a) que ce fut en ∼ 416, sous
l'archontat d'Euphème, qu'Agathon fut couronné.

Diverses indications permettent aussi de déterminer à
une année près l'époque où Apollodore est censé faire
son récit. « Ne sais-tu pas, dit Apollodore à son ami,
qu'il y a plusieurs années qu'Agathon n'est pas venu à
Athènes ? » Or les *Thesmophories* d'Aristophane, qui sont
de ∼ 411, nous apprennent qu'il y était encore en ∼ 411,

tandis que le même Aristophane, dans les *Grenouilles*, qui sont de ∼ 405, parle de l'exil volontaire d'Agathon. D'autre part, Archélaos, à la cour duquel Agathon s'était laissé attirer, ayant été assassiné en ∼ 399, il est vraisemblable que le poète quitta dès lors la Macédoine. On peut conclure de ces faits que le récit fait par Apollodore se place entre ∼ 405 et ∼ 399, probablement en ∼ 400.

Mais la date qu'il nous importe le plus de connaître est celle de la composition de l'ouvrage. Un détail historique relatif à l'année ∼ 385 indique qu'il ne fut pas écrit avant cette année-là. Dans son discours Aristophane explique (193 *a*) que l'homme double fut dissocié par Zeus comme les Arcadiens le furent par les Lacédémoniens. C'est une allusion au démembrement infligé à Mantinée par les Lacédémoniens. Pour se venger de l'infidélité des Arcadiens pendant la guerre que Sparte mena contre Argos et en d'autres occasions ils dispersèrent la population de Mantinée, capitale de l'Arcadie, en quatre bourgades. Or le fait eut lieu en ∼ 385 (voir Xénophon, *Hellén.*, V, 2, 1). Il avait fortement frappé les esprits des Grecs et le souvenir devait en être tout frais pour que Platon l'ait cité dans le *Banquet*.

Un autre détail fortifie la conclusion que l'on tire de ce démembrement de Mantinée. Il est dit (182 *b*) qu' « en Ionie et dans beaucoup d'autres pays où dominent les barbares l'amour des garçons passe pour honteux ». Or l'Ionie retomba sous le joug des barbares par le traité d'Antalkidas, qui est de ∼ 387. De ces deux anachronismes, on peut conclure en toute sûreté qu'on ne peut reporter la composition du *Banquet* à une époque antérieure à ∼ 385 et qu'il fut écrit cette année-là ou la suivante.

Entre quels ouvrages faut-il le placer ? Wilamowitz et L. Robin le placent avant la *République*, et l'on s'accorde généralement à donner la priorité au *Banquet*. Je n'ose pas contredire une opinion si générale; cependant je serais assez tenté de placer le *Banquet* après la *République*, où se trouve exposée pour la première fois la théorie complète des Idées. Le *Banquet* la suppose bien connue, et il pourrait avoir été rédigé soit pendant la composition de la *République*, soit après.

Nous avons traduit ce dialogue et le suivant sur le texte grec donné par les éditeurs de la collection Budé.

LE BANQUET

[ou **De l'amour** ; *genre moral*]

INTERLOCUTEURS

D'abord : APOLLODORE, L'AMI D'APOLLODORE ;
Ensuite : SOCRATE, AGATHON, PHÈDRE, PAUSANIAS,
ÉRYXIMAQUE, ARISTOPHANE, ALCIBIADE

APOLLODORE [1]

I. — Je crois être assez bien préparé à vous faire le récit que vous demandez. Dernièrement en effet, comme je montais de Phalère, où j'habite, à la ville, un homme de ma connaissance, qui venait derrière moi, m'aperçut et m'appelant de loin : « Hé ! l'homme de Phalère, Apollodore, s'écria-t-il en badinant, attends-moi donc. » Je m'arrêtai et l'attendis. « Apollodore, me dit-il, je te cherchais justement pour te questionner sur l'entretien d'Agathon avec Socrate, Alcibiade et les autres convives du banquet qu'il a donné, et savoir les discours qu'on y a tenus sur l'amour. Quelqu'un m'en a déjà parlé, qui les tenait de Phénix, fils de Philippe ; il a dit que tu les connaissais aussi, mais lui n'a rien pu dire de précis. Rapporte-les-moi donc : c'est à toi qu'il appartient avant tous de rapporter les discours de ton ami. Mais d'abord dis-moi, ajouta-t-il, étais-tu présent toi-même à cette réunion ? — On voit bien, répondis-je, que ton homme ne t'a rien raconté de précis, si tu penses que la réunion dont tu parles est de date assez récente pour que j'y aie assisté. — Je le pensais pourtant. — Est-ce possible, Glaucon ? dis-je. Ne sais-tu pas qu'il y a plusieurs années qu'Agathon n'est pas venu à Athènes [2] ? D'ailleurs depuis que je me suis attaché à Socrate et que je me fais chaque jour un soin de savoir ce qu'il dit et ce qu'il fait, il n'y a pas encore trois ans. Auparavant j'errais à l'aventure et je me croyais sage ; mais j'étais plus malheureux qu'homme du monde, tout comme tu l'es maintenant, toi

qui places toute autre occupation avant la philosophie.
— Épargne-moi tes sarcasmes, dit-il; dis-moi plutôt dans
quel temps eut lieu cette réunion. — En un temps où
nous étions encore enfants, répondis-je, lorsque Agathon
remporta le prix avec sa première tragédie, le lendemain
du jour où il offrit avec ses choreutes le sacrifice de victoire. — Alors cela date de loin, ce me semble, dit-il;
mais qui t'a raconté ces choses? est-ce Socrate lui-
même? — Non, par Zeus, dis-je, mais le même qui les a
racontées à Phénix, un certain Aristodème[3] de Kydathé-
naeon, un petit homme qui allait toujours pieds nus; il
avait en effet assisté à l'entretien, et, si je ne me trompe,
Socrate n'avait pas alors de disciple plus passionné.
Cependant j'ai depuis questionné Socrate lui-même sur
certains points que je tenais de la bouche d'Aristodème,
et Socrate s'est trouvé d'accord avec lui. — Eh bien!
reprit-il, raconte vite. La route qui mène à la ville est
faite à souhait pour parler et pour écouter tout en che-
minant. »

Dès lors nous nous entretînmes de ces choses tout le
long de la route; c'est ce qui fait, comme je le disais en
commençant, que je ne suis pas mal préparé. Si donc
vous voulez que je vous les rapporte à vous aussi, il faut
que je m'exécute. D'ailleurs, de parler moi-même ou
d'entendre parler philosophie, c'est, indépendamment
de l'utilité que j'y trouve, un plaisir sans égal. Quand au
contraire j'entends parler certaines personnes, et surtout
vos gens riches et vos hommes d'affaires, cela m'assomme
et je vous ai en pitié, vous leurs amis, de croire que vous
faites merveilles alors que vous ne faites rien. Peut-être
vous aussi, de votre côté, vous me croyez malheureux,
et je pense que vous ne vous trompez pas; mais que
vous le soyez, vous, je ne le pense pas seulement, j'en
suis sûr.

L'AMI D'APOLLODORE

Tu es toujours le même, Apollodore : tu dis toujours
du mal de toi et des autres, et l'on croirait vraiment, à
t'entendre, que, sauf Socrate, tout le monde est misé-
rable, toi tout le premier. A quelle occasion on t'a donné
le sobriquet de furieux, je l'ignore; mais ce que je sais,
c'est que tu ne varies pas dans tes discours et que tu es
toujours en colère contre toi et contre les autres, à
l'exception de Socrate.

Oui, mon très cher, et il est bien clair, n'est-ce pas, que c'est l'opinion que j'ai de moi-même et des autres qui fait de moi un furieux et un extravagant.

Ce n'est pas la peine de discuter là-dessus maintenant, Apollodore; fais ce qu'on te demande, rapporte-nous les discours en question.

Eh bien donc! les voici à peu près; mais il vaut mieux essayer de reprendre les choses au commencement, dans l'ordre où Aristodème me les a racontées.

II. — « Je rencontrai, dit-il, Socrate, sortant du bain et les pieds chaussés de sandales, ce qui n'est guère dans ses habitudes, et je lui demandai où il allait si beau.

Il me répondit : Je vais dîner chez Agathon. Je me suis dérobé hier à la fête qu'il a donnée en l'honneur de sa victoire, parce que je craignais la foule; mais je me suis engagé à venir le lendemain : voilà pourquoi je me suis paré; je voulais être beau pour venir chez un beau garçon. Mais toi, ajouta-t-il, serais-tu disposé à venir dîner sans invitation ?

— A tes ordres, répondis-je.

— Suis-moi donc, dit-il, et disons, en modifiant le proverbe, que des gens de bien vont dîner chez des gens de bien sans être priés [4]. Homère non seulement le modifie, mais il semble bien qu'il s'en moque, quand, après avoir représenté Agamemnon comme un grand guerrier et Ménélas comme un faible soldat, il fait venir Ménélas, sans y être invité, au festin qu'Agamemnon donne après un sacrifice, c'est-à-dire un homme inférieur chez un homme éminent [5]. »

Là-dessus Aristodème dit qu'il avait répondu : « J'ai bien peur à mon tour d'être, non pas l'homme que tu dis, Socrate, mais bien, pour parler comme Homère, l'hôte chétif qui se présente au festin d'un sage sans y être invité. As-tu, si tu m'emmènes, une excuse à donner ? car, pour moi, je n'avouerai pas que je suis venu sans invitation, mais je dirai que c'est toi qui m'as prié.

— « En allant à deux, répondit-il, nous chercherons le long de la route [6] ce qu'il faut dire; allons seulement ».

Après avoir échangé ces propos, nous nous mîmes en marche. Or, pendant la route, Socrate s'enfonçant dans ses pensées resta en arrière; comme je l'attendais, il me dit d'aller devant. Quand je fus à la maison d'Agathon, je trouvai la porte ouverte et il m'arriva une plaisante aventure. Aussitôt en effet un esclave vint de l'intérieur à ma rencontre et me conduisit dans la salle où la compagnie était à table, sur le point de commencer le repas. Dès qu'Agathon m'eut aperçu : « Tu viens à point, dit-il, Aristodème, pour dîner avec nous; si tu viens pour autre chose, remets-le à plus tard; hier même je t'ai cherché pour t'inviter, sans pouvoir te découvrir; mais comment se fait-il que tu n'amènes pas Socrate? »

Je me retourne alors, mais j'ai beau regarder : point de Socrate sur mes pas. « Je suis réellement venu avec Socrate, dis-je, et c'est lui qui m'a invité à dîner chez vous.

— C'est fort bien fait, mais où est-il, lui?

— Il venait derrière moi tout à l'heure; mais je me demande, moi aussi, où il peut être.

— Enfant, dit Agathon, va vite voir où est Socrate et amène-le. Quant à toi, Aristodème, mets-toi près d'Eryximaque. »

III. — Alors l'enfant me lava les pieds pour que je prisse place à table, et un autre esclave vint annoncer que ce Socrate qu'il avait ordre d'amener, retiré dans le vestibule de la maison voisine, n'en bougeait pas, qu'il avait eu beau l'appeler, il ne voulait pas venir.

« Voilà qui est étrange, dit Agathon; cours l'appeler et ne le laisse pas partir.

— Non pas, dis-je, laissez-le; c'est une habitude à lui : il lui arrive parfois de s'écarter n'importe où et de rester là; il va venir tout à l'heure, je pense; ne le dérangez pas, laissez-le tranquille.

— Laissons-le, si c'est ton avis, dit Agathon; quant à vous autres, servez-nous, enfants. Vous êtes absolument libres d'apporter ce que vous voudrez, comme vous faites quand il n'y a personne pour vous commander : c'est une peine que je n'ai jamais prise. Figurez-vous que moi et les hôtes que voici, nous sommes vos invités et soignez-nous, afin qu'on vous fasse des compliments. »

Dès lors nous nous mîmes à dîner; mais Socrate ne venait pas; aussi Agathon voulait-il à chaque instant l'envoyer chercher; mais je m'y opposais toujours. Enfin Socrate arriva, sans s'être attardé aussi longtemps que d'habitude, comme on était à peu près au milieu du dîner. Alors Agathon, qui occupait seul le dernier lit, s'écria : « Viens t'asseoir ici, Socrate, près de moi, afin qu'en te touchant tu me communiques les sages pensées qui te sont venues dans le vestibule ; car il est certain que tu as trouvé ce que tu cherchais et que tu le tiens, sans quoi tu n'aurais pas bougé de place. »

Alors Socrate s'assit et dit : « Il serait à souhaiter, Agathon, que la sagesse fût quelque chose qui pût couler d'un homme qui en est plein dans un homme qui en est vide par l'effet d'un contact mutuel, comme l'eau passe par l'intermédiaire du morceau de laine de la coupe pleine dans la coupe vide[7]. S'il en est ainsi de la sagesse, je ne saurais trop priser la faveur d'être assis à tes côtés ; car je me flatte que ton abondante, ton excellente sagesse va passer de toi en moi et me remplir ; car pour la mienne, elle est médiocre et douteuse, et semblable à un songe ; mais la tienne est brillante et prête à croître encore, après avoir dès ta jeunesse jeté tant de lumière et s'être révélée avant-hier avec tant d'éclat à plus de trente mille spectateurs grecs.

— Tu railles, Socrate, dit Agathon ; mais nous trancherons cette question de sagesse un peu plus tard, toi et moi, en prenant Dionysos pour juge ; pour le moment, songe d'abord à dîner. »

IV. — Dès lors Socrate prit place sur le lit, et quand lui et les autres convives eurent achevé de dîner, on fit des libations, on célébra le dieu, enfin, après toutes les autres cérémonies habituelles[8], on se mit en devoir de boire. Alors Pausanias prit la parole en ces termes : « Allons, amis, voyons comment nous régler pour boire sans nous incommoder ? Pour moi, je vous déclare que je suis réellement fatigué de la débauche d'hier et que j'ai besoin de respirer, comme aussi, je pense, la plupart d'entre vous ; car vous étiez de la fête d'hier. Avisez donc à boire de façon à nous ménager ».

Aristophane répondit : « C'est bien dit, Pausanias, il faut absolument nous donner du relâche ; car moi aussi je suis de ceux qui se sont largement arrosés hier ».

A ces mots Eryximaque, fils d'Acoumène, prit la parole : « Vous parlez d'or ; mais je veux demander encore à l'un de vous s'il est dispos pour boire : c'est Agathon.

— Moi non plus, répondit Agathon, je ne suis pas bien en train.

— C'est bien heureux, reprit Eryximaque, pour moi,

pour Aristodème, Phèdre et les autres convives, que vous,
les grands buveurs, soyez rendus, car nous autres, nous
n'avons jamais su boire. Je fais exception pour Socrate,
qui est également capable de boire et de rester sobre, en
sorte que, quel que soit le parti que nous prendrons, il y
trouvera son compte. Puisque donc aucun de ceux qui
sont ici ne semble être en humeur d'abuser du vin,
peut-être vous ennuierai-je moins en vous disant ce que
je pense de l'ivresse. Mon expérience de médecin m'a
fait voir que l'ivresse est une chose fâcheuse pour
l'homme, et je ne voudrais pas pour mon compte recom-
mencer à boire, ni le conseiller à d'autres, surtout s'ils
sont encore alourdis par la débauche de la veille.

— Pour moi, dit alors Phèdre de Myrrhinunte, je
t'en crois toujours, surtout quand tu parles médecine,
mais les autres t'en croiront aussi aujourd'hui, s'ils sont
sages. »

Après avoir entendu ces paroles, tout le monde fut
d'accord de ne point passer la présente réunion à s'enivrer et de ne boire qu'à son plaisir.

V. — Eryximaque reprit : « Puisqu'on a décidé que
chacun boirait à sa guise et sans contrainte, je propose
d'envoyer promener la joueuse de flûte qui vient d'entrer; qu'elle joue pour elle-même ou, si elle veut, pour
les femmes à l'intérieur; pour nous, passons le temps
aujourd'hui à causer ensemble; si vous voulez, je vais
vous proposer un sujet d'entretien. » Ils répondirent tous
qu'ils le voulaient bien, et le prièrent de proposer le
sujet.

Eryximaque reprit : « Je commencerai comme dans la
Mélanippe [9] d'Euripide : ce que je vais vous dire n'est
pas de moi, mais de Phèdre ici présent. En toute occasion Phèdre me dit avec indignation : « N'est-il pas
étrange, Eryximaque, que nombre d'autres dieux aient
été célébrés par les poètes dans des hymnes et des
péans [10], et qu'en l'honneur d'Eros, un dieu si vénérable
et si puissant, pas un, parmi tant de poètes que nous
avons eus, n'ait jamais composé aucun éloge? Veux-tu
aussi jeter les yeux sur les sophistes habiles, tu verras
qu'ils composent en prose des éloges d'Héraclès et
d'autres, témoin le grand Prodicos [11], et il n'y a là rien
que de naturel. Mais je suis tombé sur le livre d'un
sophiste où le sel était magnifiquement loué pour son
utilité, et les éloges d'objets aussi frivoles ne sont pas
rares. N'est-il pas étrange qu'on mette tant d'application

à de pareilles bagatelles et que personne encore parmi les hommes n'ait entrepris jusqu'à ce jour de célébrer Eros comme il le mérite ? Voilà pourtant comme on a négligé un si grand dieu ! »

Sur ce point Phèdre a raison, ce me semble. Aussi désiré-je pour ma part offrir mon tribut à Eros et lui faire ma cour ; en même temps il me paraît qu'il siérait en cette occasion à toute la compagnie présente de faire l'éloge du dieu. Si vous êtes de mon avis, ce sujet nous fournira suffisamment de quoi nous entretenir. Si vous m'en croyez, chacun de nous, en commençant de gauche à droite, fera de son mieux le panégyrique d'Eros, et Phèdre parlera le premier, puisqu'il est à la première place et qu'il est en même temps le père de la proposition.

— Tu rallieras tous les suffrages, Eryximaque, dit Socrate ; ce n'est pas moi en effet qui dirai non, moi qui fais profession de ne savoir que l'amour, ni Agathon, ni Pausanias, encore moins Aristophane, qui ne s'occupe que de Dionysos et d'Aphrodite, ni aucun autre de ceux que je vois ici. Et pourtant la partie n'est pas égale pour nous qui sommes à la dernière place ; mais si les premiers disent bien tout ce qu'il faut dire, nous nous tiendrons pour satisfaits. Que Phèdre commence donc, à la grâce de Dieu, et qu'il fasse l'éloge d'Eros. »

Tout le monde fut naturellement de l'avis de Socrate et demanda qu'on fît comme il disait. De redire tout ce que chacun dit, je ne le pourrais pas ; car ni Aristodème ne s'en souvenait exactement, ni moi je ne me rappelle tout ce qu'il m'a dit. Je m'attacherai donc aux choses et aux orateurs qui me paraissent les plus dignes de mention, je vous redirai les discours de chacun d'eux, mais ceux-là seulement.

VI. — Phèdre, comme je l'ai dit d'après le rapport d'Aristodème, parla le premier et commença ainsi : « C'est un grand dieu qu'Eros, un dieu digne de l'admiration des hommes et des dieux, pour bien des raisons, mais surtout pour son origine. Il a l'honneur de compter parmi les dieux les plus anciens, et la preuve, c'est qu'il n'a ni père ni mère et que ni prosateur ni poète ne lui en attribuent ; mais Hésiode affirme que le Chaos exista d'abord,

« puis la terre au large sein, éternel et sûr fondement de toutes choses, et Eros [12]. »

Pour lui, c'est donc après le Chaos que naquirent ces

deux êtres : la Terre et Eros. D'un autre côté Parménide dit de la Génération :

« *Elle songea à Eros avant tous les dieux.* »

Acousilaos [13] est du même sentiment qu'Hésiode. C'est
ainsi que l'on s'accorde de différents côtés à voir dans
Eros un des plus anciens dieux.

Ce dieu si ancien est aussi un grand bienfaiteur pour
l'humanité; car je ne connais pas de plus grand bien
pour un homme, dès qu'il entre dans l'adolescence, qu'un
amant vertueux et pour un amant qu'un ami vertueux.
Car il est un sentiment qui doit gouverner toute notre
conduite, si nous voulons vivre honnêtement; or ce sentiment, ni la parenté, ni les honneurs, ni les richesses,
ni rien ne peut nous l'inspirer aussi bien que l'amour.
Et qu'est-ce que j'entends par là ? C'est la honte du mal
et l'émulation du bien; sans cela, ni État, ni individu ne
peut rien faire de grand ni de beau. Aussi j'affirme qu'un
homme qui aime, s'il est surpris à commettre un acte
honteux ou à supporter lâchement un outrage, sans se
défendre, souffre moins d'être vu par un père, un camarade ou qui que ce soit que par celui qu'il aime; et nous
voyons de même que le bien-aimé ne rougit jamais si
fort que devant ses amants, quand il est surpris à faire
quelque chose de honteux. Si donc il y avait moyen de
former un État ou une armée d'amants et d'aimés, on
aurait la constitution idéale, puisqu'elle aurait pour base
l'horreur du vice et l'émulation du bien, et s'ils combat-
taient ensemble, de tels hommes, en dépit de leur petit
nombre, pourraient presque vaincre le monde entier.
Un amant en effet aurait moins de honte d'abandonner
son rang ou de jeter ses armes sous les regards de toute
l'armée que sous les regards de celui qu'il aime; il aime-
rait mieux mourir mille fois que de subir une telle honte.
Quant à abandonner son ami, ou à ne pas le secourir dans
le danger, il n'y a point d'homme si lâche qu'Eros ne
suffît alors à enflammer de courage au point d'en faire
un vrai héros; et vraiment, ce que dit Homère, « que le
dieu soufflait la vaillance à certains héros [14] », Eros le
fait de lui-même à ceux qui aiment.

VII. — Il est certain que les amants seuls savent mourir
l'un pour l'autre, et je ne parle pas seulement des
hommes, mais aussi des femmes. La fille de Pélias, Alceste,
en fournit à la Grèce un exemple probant : seule elle
consentit à mourir pour son époux, alors qu'il avait son
père et sa mère [15], et son amour dépassa de si loin leur

tendresse qu'elle les fit paraître étrangers à leur fils et qu'ils semblèrent n'être ses parents que de nom ; et sa conduite parut si belle non seulement aux hommes, mais encore aux dieux qu'elle lui valut une faveur bien rare. Parmi tant d'hommes, auteurs de tant de belles actions, on compterait aisément ceux dont les dieux ont rappelé l'âme de l'Hadès : ils rappelèrent pourtant celle d'Alceste par admiration pour son héroïsme : tant les dieux mêmes estiment le dévouement et la vertu qui viennent de l'amour !

Au contraire, ils renvoyèrent de l'Hadès Orphée, fils d'Œagros, sans rien lui accorder, et ils ne lui montrèrent qu'un fantôme de la femme qu'il était venu chercher, au lieu de lui donner la femme elle-même, parce que, n'étant qu'un joueur de cithare, il montra peu de courage et n'eut pas le cœur de mourir pour son amour, comme Alceste, et chercha le moyen de pénétrer vivant dans l'Hadès ; aussi les dieux lui firent payer sa lâcheté et le firent mettre à mort par des femmes. Au contraire, ils ont honoré Achille, fils de Thétis, et l'ont envoyé dans les îles des Bienheureux [16] parce que, prévenu par sa mère qu'il mourrait, s'il tuait Hector, et qu'il reverrait son pays, s'il ne le tuait pas, et y finirait sa vie, chargé d'années [17], il préféra résolument secourir son amant, Patrocle, et non seulement mourir pour le venger, mais encore mourir sur son corps. Aussi les dieux charmés l'ont-ils honoré par-dessus tous les hommes, pour avoir mis à si haut prix son amant. Eschyle nous fait des contes quand il affirme que c'est Achille qui aimait Patrocle [18], Achille, qui l'emportait en beauté, non seulement sur Patrocle, mais encore sur tous les héros [19], qui était encore imberbe et qui, au dire d'Homère, était de beaucoup le plus jeune. Si réellement les dieux honorent hautement la vertu inspirée par l'amour, ils admirent, ils aiment, ils comblent encore davantage le dévouement de l'ami pour l'amant que celui de l'amant pour son ami ; l'amant en effet est plus près des dieux que l'ami, puisqu'il est possédé d'un dieu [20]. C'est pour cela qu'ils ont honoré Achille plus qu'Alceste, en l'envoyant dans l'île des Bienheureux.

Je conclus qu'Eros est de tous les dieux le plus ancien, le plus honoré, le plus capable de donner la vertu et le bonheur aux hommes soit durant leur vie, soit après leur mort. »

VIII. — Tel fut à peu près, dit Aristodème, le discours

de Phèdre; après, il y en eut d'autres dont il ne se souvenait
pas bien; il les passa et en vint à celui de Pausanias qui
parla ainsi :

« Il semble, Phèdre, que c'est mal poser la question
que de nous faire ainsi simplement louer Eros. Si en effet
il n'y avait qu'un Eros, ce serait bien; mais Eros n'est
pas unique, et, s'il n'est pas unique, il est juste de dire
d'abord lequel il faut louer. Je vais donc tâcher de
rectifier ce point, de déterminer d'abord quel Eros il faut
louer, ensuite de louer dignement le dieu. Nous savons
tous qu'Aphrodite ne va pas sans Eros; s'il n'y avait qu'une
Aphrodite, il n'y aurait qu'un Eros; mais, puisqu'il y a
deux Aphrodites, il est de toute nécessité qu'il y ait aussi
deux Eros. Peut-on nier en effet l'existence des deux
déesses, l'une ancienne et sans mère, fille d'Ouranos,
que nous appelons céleste (Ourania) [21], l'autre plus jeune,
fille de Zeus et de Dionè, que nous appelons populaire
(Pandèmos) [22]; il s'ensuit nécessairement que l'Eros qui
sert l'une doit s'appeler populaire, celui qui sert l'autre,
céleste. Or il faut sans doute louer tous les dieux, mais
il faut essayer de déterminer les attributions de chacun
des deux Eros. Toute action en effet n'est par elle-même
ni belle, ni mauvaise; par exemple, ce que nous faisons
maintenant, boire, chanter, causer, rien de tout cela
n'est beau en soi, mais devient tel, selon la manière dont
on le fait, beau, si on le fait suivant les règles de l'honnête
et du juste, mauvais, si on le fait contrairement à la
justice. Il en est de même de l'amour et d'Eros : tout
amour n'est pas beau et louable, mais seulement celui
qui fait aimer honnêtement.

IX. — L'Eros de l'Aphrodite populaire est véritablement populaire et ne connaît pas de règles; c'est
l'amour dont aiment les hommes vulgaires. L'amour
de ces gens-là s'adresse d'abord aux femmes aussi bien
qu'aux garçons, au corps de ceux qu'ils aiment plutôt
qu'à l'âme, enfin aux plus sots qu'ils puissent rencontrer;
car ils n'ont en vue que la jouissance et ne s'inquiètent
pas de l'honnêteté; aussi leur arrive-t-il de faire sans
discernement, soit le bien, soit le mal; car un tel amour
vient de la déesse qui est de beaucoup la plus jeune des
deux et qui tient par son origine de la femelle comme du
mâle. L'autre, au contraire, vient de l'Aphrodite céleste,
qui ne procède que du sexe masculin, à l'exclusion du
féminin [23], qui est la plus vieille et qui ne connaît point
la violence. De là vient que ceux que l'Eros céleste inspire

tournent leur tendresse vers le sexe masculin, naturellement plus fort et plus intelligent; et même, parmi eux,
on peut reconnaître ceux qui subissent uniquement
l'influence de cet Eros en ce qu'ils n'aiment pas ceux qui
sont encore des enfants, mais ceux qui commencent à
prendre de l'intelligence, ce qui arrive vers le temps de
la puberté. En s'attachant aux jeunes gens de cet âge,
ils ont bien le dessein de rester toujours ensemble et de
vivre en commun, au lieu de courir à d'autres amours,
après avoir trompé un jeune sot qui leur sert de risée.

   Il devrait y avoir une loi qui défende d'aimer les
enfants, afin qu'on ne gaspille pas tant de soins pour une
chose incertaine; car on ne peut prévoir ce que deviendra
un enfant et s'il tournera bien ou mal, soit au moral, soit
au physique. Les hommes de bien s'imposent spontané-
ment cette loi à eux-mêmes; il faudrait l'imposer aussi
aux amants vulgaires, comme on les contraint, dans la
mesure du possible, à s'abstenir d'aimer les femmes de
condition libre. Ce sont eux, en effet, qui ont décrié
l'amour des garçons, au point que certaines gens osent
dire que c'est une honte de complaire à un amant;
s'ils parlent ainsi, c'est en voyant les amours déplacés
de ces amants malhonnêtes; car aucune action conforme
à l'ordre et à la loi ne mérite d'être blâmée.

   La règle sur laquelle on juge l'amour dans les autres
Etats est facile à saisir; car elle est simple et précise;
ici au contraire (et à Lacédémone) [24], elle est compliquée;
en Elide, en Béotie et dans les pays où l'on n'est pas
habile à parler, on admet simplement qu'il est bien
d'accorder ses faveurs à son amant, et personne, ni vieux,
ni jeune, ne dirait qu'il y a là de la honte; on veut, je
crois, échapper à l'embarras de gagner les jeunes garçons
par la parole, parce qu'on ne sait pas parler. En Ionie,
au contraire, et dans beaucoup d'autres pays où dominent
les barbares, l'amour des garçons passe pour honteux;
les barbares, en effet, craignant pour leur tyrannie,
attachent de la honte à cet amour, comme à la philosophie
et à la gymnastique : ce n'est pas, j'imagine, l'affaire des
tyrans de laisser se former parmi leurs sujets de grands
courages, ni des amitiés et des sociétés solides, comme
l'amour excelle à en former. C'est ce que l'expérience
apprit aux tyrans d'Athènes. L'amour d'Aristogiton et
l'amitié d'Harmodios solidement cimentés détruisirent
leur domination. Ainsi là où la coutume s'est établie de
tenir pour honteuses les faveurs qu'on accorde à un

amant, elle ne règne que par la faute de ceux qui l'ont établie, je veux dire par l'ambition des gouvernants et la lâcheté des gouvernés; là où la loi les approuve tout simplement, c'est par la paresse d'esprit de ses auteurs; mais chez nous la loi repose sur des raisons plus belles et, comme je le disais, délicates à débrouiller.

X. — En effet [25], si l'on fait réflexion que, suivant l'opinion courante, il est plus beau d'aimer ouvertement que d'aimer en cachette, et surtout d'aimer les jeunes gens les plus généreux et les plus vertueux, fussent-ils moins beaux que les autres; que, d'autre part, les amoureux reçoivent de tout le monde des encouragements extraordinaires, comme s'ils ne faisaient rien que d'honorable; que le succès leur fait honneur, l'insuccès, honte, et que la loi donne à l'amoureux qui entreprend une conquête la licence de faire avec l'approbation publique toutes sortes d'extravagances qu'on n'oserait pas commettre, si l'on voulait poursuivre et réaliser tout autre dessein, sans encourir les reproches les plus graves, — si en effet un homme consentait, en vue de recevoir de l'argent de quelqu'un ou d'obtenir une magistrature ou quelque autre place, à faire ce que font les amants pour l'objet aimé, quand ils appuient leurs prières de supplications et d'objurgations, font des serments, couchent aux portes, descendent à une servilité qui répugnerait même à un esclave, il serait empêché d'agir ainsi et par ses amis et par ses ennemis, les uns lui reprochant ses adulations et ses bassesses, les autres l'admonestant et rougissant pour lui, tandis qu'au contraire on passe à l'amant toutes ces extravagances et que la loi lui permet de les commettre sans honte, comme s'il faisait quelque chose d'irréprochable; et, ce qu'il y a de plus fort, c'est que, selon le dicton populaire, seul le parjure d'un amant obtient grâce devant les dieux, car on dit qu'un serment d'amour n'engage pas; c'est ainsi que les dieux et les hommes donnent à l'amant toute licence, comme l'atteste la loi d'Athènes — si, dis-je, on fait réflexion sur tout cela, on sera conduit à penser qu'il est parfaitement honorable dans cette ville et d'aimer et de payer d'amitié qui nous aime.

Mais en revanche quand on voit les pères mettre les garçons qu'on poursuit sous la surveillance de pédagogues, défendre à ces enfants de parler à leurs amants et prescrire aux pédagogues de faire observer cette défense; quand on voit, d'autre part, que les garçons

de leur âge et leurs camarades, lorsqu'ils les voient
nouer de telles relations, leur en font honte, et que les
vieillards, de leur côté, ne s'opposent pas à ces taqui-
neries, n'en blâment pas les auteurs et ne leur trouvent
point de tort, quand on considère, dis-je, ces procédés,
on pourrait croire au contraire que l'amour des garçons
passe ici pour une chose infamante.

Voici ce qui en est, à mon .avis. L'amour n'est pas
une chose simple. J'ai .dit en commençant qu'il n'était
de soi ni beau ni laid, mais que, pratiqué honnêtement,
il était beau, malhonnêtement, laid. Or c'est le pratiquer
malhonnêtement que d'accorder ses faveurs à un homme
mauvais ou pour de mauvais motifs; honnêtement, de
les accorder à un homme de bien ou pour des motifs
honorables. J'appelle mauvais l'amant populaire qui
aime le corps plus que l'âme; car son amour n'est pas
durable, puisqu'il s'attache à une chose sans durée, et
quand la fleur de la beauté qu'il aimait s'est fanée, « il
s'envole et disparaît [26] », trahissant ses discours et ses
promesses, tandis que l'amant d'une belle âme reste
fidèle toute sa vie, parce qu'il s'est uni à une chose durable.

L'opinion parmi nous veut qu'on soumette les amants
à une épreuve exacte et honnête, qu'on cède aux uns,
qu'on fuie les autres; aussi encourage-t-elle à la fois
l'amant à poursuivre et l'aimé à fuir; elle examine, elle
éprouve à quelle espèce appartient l'amant, à quelle
espèce, l'aimé. C'est pour cette raison qu'elle attache
de la honte à se rendre vite : elle veut qu'on prenne du
temps; car l'épreuve du temps est généralement sûre.
Il n'est pas beau non plus de céder au prestige des
richesses et du pouvoir, soit qu'on tremble devant la
persécution et qu'on n'ose y résister, soit qu'on ne sache
pas s'élever au-dessus des séductions de l'argent et des
emplois; car rien de tout cela ne paraît ni ferme ni stable,
outre qu'une amitié généreuse ne saurait en sortir. Il ne
reste donc, étant donné l'esprit de nos mœurs, qu'une
seule manière honnête pour l'aimé de complaire à
l'amant; car de même qu'il n'y a, nous l'avons dit, ni
bassesse ni honte dans la servitude volontaire, si complète
soit-elle, de l'amant envers l'aimé, ainsi n'y a-t-il aussi
qu'une autre servitude volontaire qui échappe au blâme :
c'est la servitude où l'on s'engage pour la vertu.

XI. — C'est une opinion qui fait loi chez nous que, si
quelqu'un se résout à en servir un autre, parce qu'il
espère, grâce à lui, faire des progrès dans la sagesse ou

dans toute autre partie de la vertu, cet esclavage volontaire ne comporte non plus ni honte ni bassesse. Il faut
que ces deux lois concourent au même but, et celle qui
concerne l'amour des garçons, et celle qui concerne la
philosophie et les autres parties de la vertu, si l'on veut
qu'il soit beau d'accorder ses faveurs à un amant; car
lorsque l'amant et l'aimé s'accordent à prendre pour
loi, l'un, de rendre au bien-aimé complaisant tous les
services compatibles avec la justice, l'autre, d'avoir toutes
les complaisances compatibles avec la justice pour celui
qui le rend sage et bon, l'un pouvant contribuer à donner
la sagesse et toutes les autres vertus, l'autre cherchant
la science et la sagesse; quand donc cet accord se rencontre, alors seulement il est honnête de se donner à un
amant; autrement, non pas. Alors il n'y a pas de honte
même à être trompé, tandis qu'en tout autre cas,
trompé ou non, on se déshonore. Si en effet quelqu'un
se rend à un amant par cupidité, parce qu'il le croit
riche, et qu'il soit trompé et n'en obtienne pas d'argent,
l'amant se trouvant être pauvre, il n'encourt pas moins
de honte; un tel homme, en effet, découvre le fond de son
âme et laisse voir que pour de l'argent il est prêt à toutes
les complaisances envers le premier venu, et cela n'est
pas beau. Le même raisonnement s'applique à celui
qui se rend à un amant, parce qu'il le croit vertueux et
qu'il espère se perfectionner grâce à son amitié : s'il
est trompé, l'amant se trouvant être mauvais et sans
vertu, sa déception est néanmoins honorable; car lui
aussi montre le fond de son âme, et laisse voir qu'il est
prêt à toutes les complaisances envers n'importe qui,
pour acquérir la vertu et devenir meilleur, et ceci, en revanche, est singulièrement beau. La conclusion est qu'il
est parfaitement honorable de se donner en vue de la vertu.
   Cet amour est celui de l'Aphrodite céleste, céleste
lui-même, utile à l'Etat et aux particuliers; car il contraint
et l'amant et l'aimé à veiller soigneusement sur eux-
mêmes pour se rendre vertueux. Tous les autres amours
appartiennent à l'autre déesse, la populaire. Voilà,
Phèdre, tout ce que je puis t'improviser sur l'Amour,
pour payer ma quote-part. »
   Pausanias ayant fait une pause — voilà une allitération
que les sophistes m'ont apprise — le tour d'Aristophane,
dit Aristodème, était venu; mais le hasard voulut que,
soit pour avoir trop mangé, soit pour autre chose, il fût
pris d'un hoquet et mis hors d'état de parler. Il dit

au médecin Eryximaque, assis au-dessous de lui : « Il
faut, Eryximaque, ou que tu fasses cesser mon hoquet,
ou que tu parles à ma place, en attendant qu'il cesse ».
Eryximaque répondit : « Je ferai l'un et l'autre. Je parlerai
à ta place, et quand tu seras débarrassé de ton hoquet,
tu parleras à la mienne. Maintenant si tu veux bien,
pendant que je parlerai, retenir ta respiration, peut-être
en seras-tu quitte; sinon, gargarise-toi avec de l'eau;
si ton hoquet résiste, prends quelque chose pour te gratter
le nez et te faire éternuer, et, quand tu auras éternué une
ou deux fois, si tenace que soit ton hoquet, il passera. —
Hâte-toi de prendre la parole, dit Aristophane; de mon
côté, je suivrai tes prescriptions ».

XII. — Alors Eryximaque prit la parole : « Il me
paraît nécessaire, puisque Pausanias, après avoir bien
débuté, n'a pas développé suffisamment son sujet,
d'essayer de compléter son discours. J'approuve, en
effet, la distinction qu'il a faite des deux Eros, mais ce
que la pratique de mon art, la médecine, m'a fait voir que ce
n'est pas seulement dans les âmes des hommes, à l'égard
des belles créatures, qu'Eros fait sentir sa puissance, qu'il
a beaucoup d'autres objets et règne aussi sur les corps
de tous les animaux, sur les plantes, en un mot sur tous
les êtres, et qu'Eros est réellement un grand, un admirable
dieu, qui étend son empire à toutes les choses divines
et humaines [27]. Je parlerai d'abord de la médecine, pour
faire honneur à mon art.

La nature corporelle est soumise aux deux Eros; car
ce qui est sain dans le corps et ce qui est malade sont,
il faut bien le reconnaître, des choses tout à fait différentes, qui désirent et aiment des choses différentes.
L'amour qui règne dans une partie saine diffère donc de
celui qui règne dans une partie malade. Ainsi, de même
qu'il est beau, comme le disait tout à l'heure Pausanias,
d'accorder ses faveurs aux honnêtes gens, et honteux,
aux débauchés, de même aussi, quand il s'agit du corps,
il est beau et même nécessaire de complaire à ce qui est
bon et sain dans chacun — et c'est précisément cela
qu'on appelle la médecine; — mais il est honteux de
céder et il faut résister à ce qui est mauvais et maladif,
si l'on veut être un habile praticien. La médecine, en
effet, pour la définir d'un mot, est la science des mouvements amoureux du corps relativement à la réplétion et
à la vacuité, et celui qui discerne dans ces mouvements
le bon et le mauvais amour est le médecin le plus habile [28],

et celui qui peut changer les dispositions du corps au point de substituer un amour à l'autre, et qui sait faire naître l'amour là où il n'est pas, mais devrait être, ou l'ôter de là où il se trouve, est un bon praticien. Un bon praticien, en effet, doit être capable d'établir l'amitié et l'amour entre les éléments les plus hostiles du corps. Or les éléments les plus hostiles sont les éléments les plus contraires, le froid et le chaud, l'amer et le doux, le sec et l'humide et les autres analogues. C'est parce qu'il sut mettre l'amour et la concorde entre ces éléments que notre ancêtre Asclèpios, au dire des poètes que je vois ici [29], et je les en crois, a fondé notre art. La médecine est donc, comme je l'ai dit, gouvernée tout entière par le dieu Eros, comme aussi la gymnastique et l'agriculture.

Quant à la musique, il est clair, pour peu qu'on y prête attention, qu'elle est dans le même cas. C'est peut-être ce qu'Héraclite voulait dire, bien qu'il ne se soit pas bien expliqué, quand il affirmait que l'unité s'opposant à elle-même produit l'accord, comme l'harmonie de l'arc et de la lyre [30]. C'est une grande absurdité de dire que l'harmonie est une opposition ou qu'elle se forme d'éléments qui restent opposés; mais peut-être voulait-il dire qu'elle est formée d'éléments auparavant opposés, l'aigu et le grave, mis d'accord ensuite par l'art musical. En effet, l'harmonie ne saurait naître de choses qui restent opposées, je veux dire l'aigu et le grave; car qui dit harmonie dit consonance et qui dit consonance dit accord, et l'accord ne saurait résulter d'éléments opposés, tant qu'ils restent opposés; et l'harmonie à son tour ne saurait résulter d'éléments opposés qui ne se mettent pas d'accord. De même que l'harmonie, le rythme est formé d'éléments d'abord opposés, ensuite accordés, les brèves et les longues. L'accord en tout cela, c'est la musique, comme plus haut la médecine, qui l'établit, en y mettant l'amour et la concorde, et l'on peut dire de la musique aussi qu'elle est la science de l'amour relativement à l'harmonie et au rythme.

Et il n'est pas difficile de distinguer le rôle de l'amour dans la constitution même de l'harmonie et du rythme. Ici il n'y a pas double amour; mais quand il faut mettre en œuvre à l'usage des hommes le rythme et l'harmonie, soit en inventant, ce qui s'appelle composition, soit en appliquant correctement les airs et les mètres inventés, ce qu'on appelle instruction, c'est là qu'est la difficulté et qu'il faut un artiste habile; car nous retrouvons ici le principe qu'il faut complaire aux hommes sages et viser à rendre sages ceux qui ne le sont pas encore, et encourager leur amour, qui est l'amour honnête, l'amour céleste, l'amour de la muse Ourania. Au contraire, celui de Polymnia, c'est l'amour populaire : il ne faut jamais l'offrir qu'avec précaution, de manière à en goûter le plaisir, sans aller jusqu'à l'incontinence. De même dans notre art il est difficile de bien régler les désirs de la gourmandise, de manière à jouir du plaisir sans se rendre malade. Il faut donc, et dans la musique et dans la médecine, et dans toutes choses, soit divines, soit humaines, pratiquer l'un et l'autre amour dans la mesure permise, puisqu'ils s'y rencontrent tous les deux.

XIII. — Ils se rencontrent aussi tous les deux dans la constitution des saisons de l'année. Quand les contraires dont je parlais tout à l'heure, le chaud et le froid, le sec et l'humide, se trouvent dans leurs rapports sous l'influence de l'amour réglé et se mélangent dans un harmonieux et juste tempérament, ils apportent l'abondance et la santé aux hommes, aux animaux et aux plantes, sans nuire à quoi que ce soit ; mais quand c'est l'amour désordonné qui prévaut dans les saisons, il gâte et abîme bien des choses ; car ses dérèglements occasionnent d'ordinaire des pestes et beaucoup d'autres maladies variées aux animaux et aux plantes ; les gelées, la grêle, la nielle proviennent en effet du défaut de proportion et d'ordre que cet amour met dans l'union des éléments. La connaissance des influences de l'amour sur les révolutions des astres et les saisons de l'année s'appelle astronomie.

En outre tous les sacrifices et tout ce qui relève de la divination, laquelle met en communication les hommes et les dieux, n'ont pas d'autre objet que d'entretenir ou de guérir l'amour ; car toute impiété vient de ce que nous refusons de céder à l'Eros réglé, de l'honorer, de le révérer dans tous nos actes, pour révérer l'autre Eros, dans nos rapports, soit avec nos parents vivants ou morts, soit avec les dieux. C'est la tâche de la divination de surveiller et de traiter ces Amours. C'est elle qui est l'ouvrière de l'amitié entre les dieux et les hommes, parce qu'elle sait ce qui, dans les amours humains, tend au respect des dieux et à la piété.

Telle est la multiple, l'immense ou plutôt l'universelle puissance qu'Eros possède en général ; mais c'est quand il cherche le bien dans les voies de la sagesse et de la justice, soit chez nous, soit chez les dieux, qu'Eros

e la plus grande puissance et nous procure le
bonheur complet, en nous rendant capables de vivre en
société et d'être les amis même des dieux, si élevés au-
dessus de nous.

Peut-être moi aussi, en louant Eros, j'ai commis plus
d'un oubli, mais c'est involontairement. D'ailleurs, s'il
m'est échappé quelque chose, c'est à toi, Aristophane, à
le suppléer. Cependant, si tu as l'intention de louer le
dieu autrement, fais-le, puisque aussi bien ton hoquet a
passé. »

C'est alors que, suivant Aristodème, Aristophane prit
la parole à son tour et dit : « Sans doute il a cessé, mais
pas avant de lui avoir appliqué le remède de l'éternuement; aussi j'admire que le bon état du corps réclame
des bruits et des chatouillements tels que l'éternuement;
aussitôt que je lui ai appliqué l'éternuement, le hoquet a
cessé.

— Mon brave Aristophane, dit Eryximaque, prends
garde à ce que tu fais. Tu fais rire à mes dépens, au
moment de prendre la parole : c'est me forcer à surveiller
ton discours, pour voir si tu ne diras rien qui prête à
rire, quand tu pourrais parler en toute sécurité. »

Aristophane se mit à rire et dit : « Tu as raison, Eryximaque; fais comme si je n'avais rien dit; ne me surveille
pas, car je crains dans le discours que j'ai à faire, non pas
de faire rire : ce serait une bonne fortune pour nous et
c'est le propre de ma muse, mais de dire des choses
ridicules.

— Tu m'as décoché ton trait, et tu penses m'échapper,
Aristophane ? Fais attention et parle comme un homme
qui rendra raison. Je ne veux pas dire pourtant que,
s'il me convient, je ne te fasse grâce.

XIV. — Oui, Eryximaque, dit Aristophane, j'ai l'intention de parler autrement que vous ne l'avez fait, toi et
Pausanias. Il me semble en effet que les hommes ne se
sont nullement rendu compte de la puissance d'Eros; s'ils
s'en rendaient compte, ils lui consacreraient les temples
et les autels les plus magnifiques et lui offriraient les
plus grands sacrifices, tandis qu'à présent on ne lui rend
aucun de ces honneurs, alors que rien ne serait plus
convenable. Car c'est le dieu le plus ami des hommes,
puisqu'il les secourt et porte remède aux maux dont la
guérison donnerait à l'humanité le plus grand bonheur.
Je vais donc essayer de vous initier à sa puissance, et
vous en instruirez les autres. Mais il faut d'abord que

vous appreniez à connaître la nature humaine et ses transformations.

Jadis notre nature n'était pas ce qu'elle est à présent, elle était bien différente. D'abord il y avait trois espèces d'hommes, et non deux, comme aujourd'hui : le mâle, la femelle et, outre ces deux-là, une troisième composée des deux autres ; le nom seul en reste aujourd'hui, l'espèce a disparu. C'était l'espèce androgyne qui avait la forme et le nom des deux autres, mâle et femelle, dont elle était formée ; aujourd'hui elle n'existe plus, ce n'est plus qu'un nom décrié. De plus chaque homme était dans son ensemble de forme ronde, avec un dos et des flancs arrondis, quatre mains, autant de jambes, deux visages tout à fait pareils sur un cou rond, et sur ces deux visages opposés une seule tête, quatre oreilles, deux organes de la génération et tout le reste à l'avenant. Il marchait droit, comme à présent, dans le sens qu'il voulait, et, quand il se mettait à courir vite, il faisait comme les saltimbanques qui tournent en cercle en lançant leurs jambes en l'air ; s'appuyant sur leurs membres qui étaient au nombre de huit, ils tournaient rapidement sur eux-mêmes. Et ces trois espèces étaient ainsi conformées parce que le mâle tirait son origine du soleil, la femelle de la terre, l'espèce mixte de la lune, qui participe de l'un et de l'autre. Ils étaient sphériques et leur démarche aussi, parce qu'ils ressemblaient à leurs parents ; ils étaient aussi d'une force et d'une vigueur extraordinaires, et comme ils avaient de grands courages, ils attaquèrent les dieux, et ce qu'Homère dit d'Ephialte et d'Otos [31], on le dit d'eux, à savoir qu'ils tentèrent d'escalader le ciel pour combattre les dieux.

XV. — Alors Zeus délibéra avec les autres dieux sur le parti à prendre. Le cas était embarrassant : ils ne pouvaient se décider à tuer les hommes et à détruire la race humaine à coups de tonnerre, comme ils avaient tué les géants ; car c'était anéantir les hommages et le culte que les hommes rendent aux dieux ; d'un autre côté, ils ne pouvaient non plus tolérer leur insolence. Enfin Jupiter, ayant trouvé, non sans peine, un expédient, prit la parole : « Je crois, dit-il, tenir le moyen de conserver les hommes tout en mettant un terme à leur licence : c'est de les rendre plus faibles. Je vais immédiatement les couper en deux l'un après l'autre ; nous obtiendrons ainsi le double résultat de les affaiblir et de tirer d'eux davantage, puisqu'ils seront plus nombreux. Ils marcheront droit sur deux jambes. S'ils continuent à se montrer insolents et ne veulent pas se tenir en repos, je les couperai encore une fois en deux, et les réduirai à marcher sur une jambe à cloche-pied. »

Ayant ainsi parlé, il coupa les hommes en deux, comme on coupe des alizes pour les sécher [32] ou comme on coupe un œuf avec un cheveu [33]; et chaque fois qu'il en avait coupé un, il ordonnait à Apollon de retourner le visage et la moitié du cou du côté de la coupure, afin qu'en voyant sa coupure l'homme devînt plus modeste, et il lui commandait de guérir le reste. Apollon retournait donc le visage et, ramassant de partout la peau sur ce qu'on appelle à présent le ventre, comme on fait des bourses à courroie, il ne laissait qu'un orifice et liait la peau au milieu du ventre : c'est ce qu'on appelle le nombril. Puis il polissait la plupart des plis et façonnait la poitrine avec un instrument pareil à celui dont les cordonniers se servent pour polir sur la forme les plis du cuir; mais il laissait quelques plis, ceux qui sont au ventre même et au nombril, pour être un souvenir de l'antique châtiment.

Or quand le corps eut été ainsi divisé, chacun, regrettant sa moitié, allait à elle; et, s'embrassant et s'enlaçant les uns les autres avec le désir de se fondre ensemble, les hommes mouraient de faim de d'inaction, parce qu'ils ne voulaient rien faire les uns sans les autres; et quand une moitié était morte et que l'autre survivait, celle-ci en cherchait une autre et s'enlaçait à elle, soit que ce fût une moitié de femme entière — ce qu'on appelle une femme aujourd'hui — soit que ce fût une moitié d'homme, et la race s'éteignait.

Alors Zeus, touché de pitié, imagine un autre expédient : il transpose les organes de la génération sur le devant; jusqu'alors ils les portaient derrière, et ils engendraient et enfantaient non point les uns dans les autres, mais sur la terre, comme les cigales [34]. Il plaça donc les organes sur le devant et par là fit que les hommes engendrèrent les uns dans les autres, c'est-à-dire le mâle dans la femelle. Cette disposition était à deux fins : si l'étreinte avait lieu entre un homme et une femme, ils enfanteraient pour perpétuer la race, et, si elle avait lieu entre un mâle et un mâle, la satiété les séparerait pour un temps, ils se mettraient au travail et pourvoiraient à tous les besoins de l'existence. C'est de ce moment que date l'amour inné des hommes les uns pour les autres :

l'amour recompose l'antique nature, s'efforce de fondre deux êtres en un seul, et de guérir la nature humaine.

XVI. — Chacun de nous est donc comme une tessère d'hospitalité [35], puisque nous avons été coupés comme des soles et que d'un nous sommes devenus deux; aussi chacun cherche sa moitié. Tous les hommes qui sont une moitié de ce composé des deux sexes que l'on appelait alors androgyne aiment les femmes, et c'est de là que viennent la plupart des hommes adultères; de même toutes les femmes qui aiment les hommes et pratiquent l'adultère appartiennent aussi à cette espèce. Mais toutes celles qui sont une moitié de femme ne prêtent aucune attention aux hommes, elles préfèrent s'adresser aux femmes et c'est de cette espèce que viennent les tribades. Ceux qui sont une moitié de mâle s'attachent aux mâles, et tant qu'ils sont enfants, comme ils sont de petites tranches de mâle, ils aiment les hommes et prennent plaisir à coucher avec eux et à être dans leurs bras, et ils sont parmi les enfants et les jeunes garçons les meilleurs, parce qu'ils sont les plus mâles de nature. Certains disent qu'ils sont sans pudeur; c'est une erreur : ce n'est point par impudence, mais par hardiesse, courage et virilité qu'ils agissent ainsi, s'attachant à ce qui leur ressemble, et en voici une preuve convaincante, c'est que, quand ils ont atteint leur complet développement, les garçons de cette nature sont les seuls qui se consacrent au gouvernement des Etats. Quand ils sont devenus des hommes, ils aiment les garçons, et, s'ils se marient et ont des enfants, ce n'est point qu'ils suivent un penchant naturel, c'est qu'ils y sont contraints par la loi : ils se contenteraient de vivre ensemble, en célibataires. Il faut donc absolument qu'un tel homme devienne amant ou ami des hommes, parce qu'il s'attache toujours à ce qui lui ressemble.

Quand donc un homme, qu'il soit porté pour les garçons ou pour les femmes, rencontre celui-là même qui est sa moitié, c'est un prodige que les transports de tendresse, de confiance et d'amour dont ils sont saisis; ils ne voudraient plus se séparer, ne fût-ce qu'un instant. Et voilà les gens qui passent toute leur vie ensemble, sans pouvoir dire d'ailleurs ce qu'ils attendent l'un de l'autre; car il ne semble pas que ce soit le plaisir des sens qui leur fasse trouver tant de charme dans la compagnie l'un de l'autre. Il est évident que leur âme à tous deux désire autre chose, qu'elle ne peut pas dire, mais qu'elle devine et laisse deviner. Si, pendant qu'ils sont couchés ensemble, Héphaïstos leur apparaissait avec ses outils, et leur disait : « Hommes, que désirez-vous l'un de l'autre » ? et si, les voyant embarrassés, il continuait : « L'objet de vos vœux n'est-il pas de vous rapprocher autant que possible l'un de l'autre, au point de ne vous quitter ni nuit ni jour ? Si c'est là ce que vous désirez, je vais vous fondre et vous souder ensemble, de sorte que de deux vous ne fassiez plus qu'un, que jusqu'à la fin de vos jours vous meniez une vie commune, comme si vous n'étiez qu'un, et qu'après votre mort, là-bas, chez Hadès, vous ne soyez pas deux, mais un seul, étant morts d'une commune mort. Voyez si c'est là ce que vous désirez, et si en l'obtenant vous serez satisfaits. » À une telle demande nous savons bien qu'aucun d'eux ne dirait non et ne témoignerait qu'il veut autre chose : il croirait tout bonnement qu'il vient d'entendre exprimer ce qu'il désirait depuis longtemps, c'est-à-dire de se réunir et de se fondre avec l'objet aimé et de ne plus faire qu'un au lieu de deux.

Et la raison en est que notre ancienne nature était telle et que nous étions un tout complet : c'est le désir et la poursuite de ce tout qui s'appelle amour. Jadis, comme je l'ai dit, nous étions un ; mais depuis, à cause de notre injustice, nous avons été séparés par le dieu, comme les Arcadiens par les Lacédémoniens [36]. Aussi devons-nous craindre, si nous manquons à nos devoirs envers les dieux, d'être encore une fois divisés et de devenir comme les figures de profil taillées en bas relief sur les colonnes, avec le nez coupé en deux, ou pareils à des moitiés de jetons [37]. Il faut donc s'exhorter les uns les autres à honorer les dieux, afin d'échapper à ces maux et d'obtenir les biens qui viennent d'Eros, notre guide et notre chef. Que personne ne se mette en guerre avec Eros : c'est se mettre en guerre avec lui que de s'exposer à la haine des dieux. Si nous gagnons l'amitié et la faveur du dieu, nous découvrirons et rencontrerons les garçons qui sont nos propres moitiés, bonheur réservé aujourd'hui à peu de personnes.

Qu'Eryximaque n'aille pas se moquer de ce que je dis, comme si je parlais de Pausanias et d'Agathon ; peut-être sont-ils en effet de ce petit nombre et tous deux de nature mâle ; je parle des hommes et des femmes en général, et je dis que notre espèce ne saurait être heureuse qu'à une condition, c'est de réaliser nos aspirations amoureuses, de rencontrer chacun le garçon qui est notre moitié, et de revenir ainsi à notre nature première. Si c'est là le bonheur suprême, il s'ensuit que ce qui s'en rapproche le plus dans le monde actuel est le plus grand bonheur que l'on puisse atteindre, je veux dire rencontrer un ami selon son cœur. S'il faut louer le dieu qui le procure, on a raison de louer Eros, qui, dans le présent, nous rend les plus grands services, en nous guidant vers l'objet qui nous est propre, et qui nous donne pour l'avenir les plus belles espérances, en nous promettant, si nous rendons aux dieux nos devoirs de piété, de nous remettre dans notre ancien état, de nous guérir et de nous donner le bonheur et la félicité.

Voilà, Eryximaque, mon discours sur Eros : il ne ressemble pas au tien. Je t'en prie encore une fois, ne t'en moque point ; mieux vaut écouter chacun de ceux qui restent ou plutôt les deux seuls qui restent, Agathon et Socrate. »

XVII. — D'après Aristodème, Eryximaque repartit : « Je t'obéirai, car j'ai eu du plaisir à t'entendre, et si je ne savais pas que Socrate et Agathon sont des maîtres en matière d'amour, je craindrais fort de les voir demeurer court, après tant de discours si divers ; néanmoins leur talent me rassure. »

Socrate répondit : « Tu as bien soutenu ta partie, Eryximaque ; mais si tu étais au point où j'en suis, ou plutôt où j'en serai, quand Agathon aura fait son beau discours, tu tremblerais, et même bien fort, et tu serais aussi embarrassé que je le suis à présent.

— Tu veux me jeter un sort, Socrate, dit Agathon ; tu veux que je me trouble à la pensée que l'assemblée est dans une grande attente des belles choses que j'ai à dire.

— J'aurais bien peu de mémoire, Agathon, répliqua Socrate, si, après t'avoir vu monter si bravement et si hardiment sur l'estrade avec les acteurs et regarder en face sans la moindre émotion une si imposante assemblée, au moment de faire représenter ta pièce, je pensais maintenant que tu vas te laisser troubler par le petit auditoire que nous sommes.

— Eh quoi ! Socrate, dit Agathon, tu ne me crois pourtant pas si entêté de théâtre que j'aille jusqu'à ignorer que pour un homme sensé un petit nombre d'hommes sages est plus à craindre qu'une multitude d'ignorants.

— J'aurais grand tort, Agathon, dit Socrate, de te croire si peu de goût ; je sais bien, au contraire, que, si tu

te trouvais avec un nombre restreint de gens qui te
paraîtraient sages, tu aurais plus d'égard à leur jugement qu'à celui de la foule. Mais peut-être ne sommes-
nous pas de ces sages ; car enfin nous étions, nous aussi,
au théâtre et faisions partie de la foule. Mais si tu te
trouvais avec d'autres qui fussent des sages, peut-être
craindrais-tu leur jugement si tu croyais faire quelque
chose de honteux, est-ce vrai ?

— C'est vrai, répondit Agathon.

— Et ne craindrais-tu pas celui de la foule si tu
pensais commettre une action répréhensible ? »

Ici Phèdre, prenant la parole, dit : « Mon cher Agathon, si tu réponds à Socrate, peu lui importe où s'en
ira notre entretien, pourvu qu'il ait un interlocuteur,
surtout si c'est un beau garçon. J'ai moi-même plaisir
à entendre discuter Socrate ; mais je dois veiller à l'éloge
d'Eros et recueillir le tribut de louanges de chacun de
vous : payez l'un et l'autre votre dette au dieu, vous dis-
cuterez ensuite.

— Tu as raison, Phèdre, dit Agathon ; rien ne m'empêche de prendre la parole ; car je retrouverai bien
d'autres occasions de causer avec Socrate.

XVIII. — « Je veux d'abord indiquer comment il
faut, à mon sens, louer Eros, puis je ferai son éloge. Il me
semble en effet que tous ceux qui ont parlé avant moi
n'ont pas loué le dieu, mais félicité les hommes des
biens dont ils lui sont redevables ; ce qu'est en lui-même
l'auteur de ces biens, on ne l'a pas expliqué. Or en fait
de louange, quel qu'en soit le sujet, il n'y a qu'une
méthode exacte, c'est d'expliquer la nature, puis les
bienfaits de celui dont il est question. Selon cette méthode,
il convient, pour louer Eros, de faire connaître d'abord
sa nature, puis les présents qu'il nous donne.

Or j'affirme que, parmi tous les dieux bienheureux,
Eros est, si l'on peut le dire sans blesser Némésis, le
plus heureux de tous, comme étant le plus beau et le
meilleur. C'est le plus beau, et voici pourquoi. D'abord
c'est le plus jeune des dieux, Phèdre ; lui-même en fournit
une preuve convaincante par le fait qu'il échappe à la
vieillesse, qui est pourtant, on le sait, bien rapide, car
elle vient à nous plus vite qu'il ne faudrait ; or Eros a
pour elle une horreur innée et n'en approche même pas
de loin. Jeune, il est toujours avec la jeunesse et ne la
quitte pas ; car le vieux dicton a raison : Qui se ressemble
s'assemble. Aussi, d'accord avec Phèdre sur beaucoup

d'autres points, je ne puis lui accorder celui-ci, qu'Eros est plus ancien que Cronos et que Japet. Je soutiens, au contraire, que c'est le plus jeune des dieux, qu'il est éternellement jeune, et que ces vieilles querelles des dieux, dont parlent Hésiode [38] et Parménide, sont l'œuvre de la Nécessité, et non d'Eros, si tant est que ces écrivains aient dit la vérité; car ces castrations, ces enchaînements mutuels [39] et tant d'autres violences ne seraient point arrivés si Eros eût été parmi eux; au contraire, ils auraient vécu dans l'amitié et dans la paix, comme aujourd'hui qu'Eros règne sur les dieux.

Eros est donc jeune. Il est aussi délicat; mais il faudrait un Homère pour peindre la délicatesse de ce dieu. Homère dit d'Atè qu'elle est déesse et délicate, ou du moins que ses pieds sont délicats :

« *Elle a des pieds délicats*, dit-il; *car elle ne touche point le sol, mais elle marche sur les têtes des hommes* [40]. »

C'est, ce me semble, donner une belle preuve de sa délicatesse que de dire qu'elle ne marche pas sur ce qui est dur, mais sur ce qui est mou. Nous appliquerons le même argument à Eros pour montrer sa délicatesse : il ne marche pas sur la terre, ni sur les têtes, point d'appui qui n'est pas des plus mous; mais il marche et habite dans les choses les plus molles qui soient au monde; c'est en effet dans les cœurs et les âmes des dieux et des hommes qu'il établit son séjour, et encore n'est-ce pas dans toutes les âmes indistinctement; s'il en rencontre qui soient d'un caractère dur, il s'en écarte, et n'habite que celles qui sont douces. Or, puisqu'il touche toujours de ses pieds et de tout son être les choses les plus molles entre les plus molles, il faut bien qu'il soit doué de la plus exquise délicatesse. Ainsi donc il est le plus jeune et le plus délicat.

Il est en outre souple de forme, car il ne pourrait, s'il était rigide, envelopper de tous côtés son objet, ni entrer d'abord dans toute âme et en sortir sans qu'on s'en aperçoive. Une forte preuve qu'il est flexible et souple est sa grâce, attribut que, de l'aveu de tous, Eros possède à un degré supérieur; car Eros et la difformité sont en hostilité perpétuelle. Qu'il ait un beau teint, sa vie passée au milieu des fleurs l'indique assez; car Eros ne s'établit pas sur les objets sans fleur ou défleuris, que ce soit un corps, une âme ou toute autre chose; mais là où il y a des fleurs et des parfums, là il se pose et demeure.

XIX. — Sur la beauté du dieu, j'en ai assez dit, bien

qu'il reste encore beaucoup à dire. Il me faut parler
maintenant de la vertu d'Eros. Un très grand avantage
est qu'Eros ne fait aucun tort à personne, soit dieu, soit
homme, comme il n'en reçoit d'aucun dieu ni d'aucun
homme; en effet, s'il endure quelque chose, ce n'est
point par force; car la violence n'attaque pas Eros, et
s'il fait quelque chose, il le fait sans contrainte; en tout
et partout, c'est volontairement qu'on se met au service
d'Eros; or quand on se met d'accord volontairement
de part et d'autre, les lois, « reines de la cité [41] », déclarent
que c'est justice.

Outre la justice, il a eu en partage la plus grande
tempérance. On convient, en effet, qu'être tempérant
c'est dominer les plaisirs et les passions; or aucun plaisir
n'est au-dessus de l'amour; s'ils lui sont inférieurs, ils
sont vaincus par lui, et il est leur vainqueur; or étant
vainqueur des plaisirs et des passions, il est supérieure-
ment tempérant.

Quant au courage, Arès lui-même ne peut tenir tête à
Eros; car ce n'est pas Arès qui maîtrise Eros, c'est Eros
qui maîtrise Arès, amoureux, dit-on, d'Aphrodite; or
celui qui maîtrise l'emporte sur celui qui est maîtrisé,
et celui qui l'emporte sur le plus brave doit être le plus
brave de tous.

J'ai parlé de la justice, de la tempérance et du courage
du dieu : il me reste à parler de son habileté, en tâchant,
dans la mesure de mes forces, de ne pas rester au-dessous
de mon sujet. Tout d'abord, afin d'honorer, moi aussi,
notre art, comme Eryximaque a fait le sien, je dirai que
le dieu est un poète si habile qu'il rend poète qui il veut;
tout homme en effet, fût-il étranger aux Muses, devient
poète [42] quand Eros l'a touché, excellente preuve qu'Eros
est habile en général dans toutes les œuvres des Muses :
car ce qu'on n'a pas ou ce qu'on ne sait pas, on ne saurait
ni le donner ni l'enseigner à un autre.

Si nous passons à la création de tous les animaux, peut-
on prétendre que ce n'est pas le savoir-faire d'Eros qui
les fait naître et croître tous ?

Quant à la pratique des arts, ne savons-nous pas que
celui qui a pour maître ce dieu devient célèbre et illustre,
et que celui qu'Eros n'a pas touché reste obscur. Si
Apollon a inventé l'art de tirer de l'arc, la médecine, la
divination, c'est en prenant pour guide le désir et l'amour,
en sorte qu'on peut voir en lui aussi un disciple d'Eros.
Il en est de même des Muses pour la musique, d'Hè-

phaïstos pour l'art du forgeron, d'Athéna pour l'art de
tisser et de Zeus pour le gouvernement des dieux et des
hommes. Ainsi l'ordre s'établit parmi les dieux sous
l'influence d'Eros, c'est-à-dire de la beauté; car Eros ne
s'attache pas à la laideur. Jadis, comme je l'ai dit en
commençant, bien des atrocités se commirent chez les
dieux, au dire de la légende, sous l'empire de la Nécessité; mais quand Eros fut né, de l'amour du beau sortirent des biens de toutes sortes pour les dieux et pour
les hommes.

C'est mon sentiment, Phèdre, qu'Eros étant d'abord
lui-même le plus beau et le meilleur de tous ne peut dès
lors manquer de procurer aux autres les mêmes avantages. Disons, en pliant à la mesure la pensée qui me
vient, que c'est lui qui donne
« *la paix aux hommes, le calme à la mer, le silence aux vents,
la couche et le sommeil au souci* ».

C'est lui qui nous délivre de la sauvagerie et nous
inspire la sociabilité, qui forme toutes ces réunions
comme la nôtre et nous guide dans les fêtes, dans les
chœurs, dans les sacrifices. Il nous enseigne la douceur, il
bannit la rudesse; il nous donne la bienveillance, il nous
ôte la malveillance; il est propice aux bons, approuvé
des sages, admiré des dieux; envié de ceux qui ne le
possèdent pas, précieux à ceux qui le possèdent; père
du luxe, de la délicatesse, des délices, des grâces, de la
passion, du désir, il s'intéresse aux bons, néglige les
méchants; dans la peine, dans la crainte, dans le désir,
dans la conversation, il est notre pilote, notre champion,
notre soutien, notre sauveur par excellence; il est la gloire
dès dieux et des hommes, le guide le plus beau et le meilleur, que tout homme doit suivre, en chantant de beaux
hymnes et en répétant le chant magnifique qu'il chante
lui-même pour charmer l'esprit des dieux et des hommes.

Voilà, Phèdre, le discours que je consacre au dieu, discours que j'ai mêlé de jeu et de sérieux, aussi bien que
j'ai pu le faire ».

XX. — Quand Agathon eut fini de parler, tous les
assistants,   au   rapport   d'Aristodème,   applaudirent
bruyamment, déclarant que le jeune homme avait parlé
d'une manière digne de lui et du dieu tout ensemble.

Alors Socrate, se tournant vers Eryximaque, lui dit :
« Trouves-tu, fils d'Acoumène, que ma crainte de tout
à l'heure était vaine, et n'ai-je pas été bon prophète
quand j'ai dit il y a un instant qu'Agathon parlerait

merveilleusement et me jetterait dans l'embarras » ?

Eryximaque répondit : « Pour le premier point, qu'Agathon parlerait bien, je reconnais que tu as été bon prophète ; mais pour l'autre, que tu serais embarrassé, ce
n'est pas mon avis.

— Et comment, bienheureux homme, reprit Socrate,
ne serais-je pas embarrassé, et tout autre à ma place,
ayant à parler après un discours si beau et si riche ? Sans
doute tout n'y mérite pas une égale admiration ; mais à la
fin qui n'aurait pas été émerveillé de la beauté des mots
et des tournures ? Pour moi, reconnaissant que je ne
saurais rien dire qui approchât de cette beauté, je me
serais presque caché de honte si j'avais su où fuir. Le
discours en effet m'a rappelé Gorgias, à tel point que j'ai
absolument éprouvé ce que dit Homère : j'ai craint
qu'Agathon, en finissant son discours, ne lançât sur le
mien la tête de ce monstre d'éloquence qu'était Gorgias
et ne m'ôtât la voix en me pétrifiant [43].

Et puis je me suis rendu compte aussi que j'étais
ridicule en vous promettant de faire ma partie avec
vous dans l'éloge d'Eros et en me vantant d'être expert
en amour, alors que je n'entendais rien à la manière de
louer quoi que ce soit. Je pensais en effet, dans ma simplicité, qu'il fallait dire la vérité sur l'objet, quel qu'il
soit, que l'on loue, que la vérité devait être le fondement, et qu'il fallait choisir dans la vérité même ce qu'il
y avait de plus beau, et le disposer dans l'ordre le plus
convenable, et j'étais très fier à la pensée que j'allais
bien parler, parce que je savais le vrai procédé qu'il faut
appliquer à toute louange ; mais il paraît que ce n'était
pas la bonne méthode, que c'était, au contraire, d'attribuer au sujet les qualités les plus grandes et les plus
belles possible, vraies ou non, la fausseté n'ayant aucune
importance ; car on est convenu, paraît-il, que chacun
aurait l'air de louer Eros, et non qu'il le louerait réellement. C'est pour cela, je pense, que vous remuez ciel et
terre pour charger d'éloges Eros et que vous affirmez
qu'il est si grand et si bienfaisant : vous voulez qu'il
paraisse le plus beau et le meilleur possible, aux ignorants, s'entend, mais non certes aux gens éclairés. Et
c'est quelque chose de beau et d'imposant qu'un tel
éloge ; mais moi, je ne connaissais pas cette manière de
louer, et c'est parce que je ne la connaissais pas que j'ai
promis de tenir ma partie dans l'éloge : « *c'est donc ma
langue qui a pris l'engagement, non mon esprit* [44]. » Au

diable l'engagement! je ne loue pas de cette façon-là :
je ne pourrais pas. Cependant je consens, si vous voulez,
à parler suivant la vérité, à ma manière, sans m'exposer
au ridicule de lutter d'éloquence avec vous. Vois donc,
Phèdre, si tu veux d'un tel discours, c'est-à-dire entendre
la vérité sur Eros, avec des mots et des tours tels qu'ils
se présenteront. »

Phèdre et les autres le prièrent de parler, à la manière
qui lui conviendrait.

« Permets-moi encore, Phèdre, dit Socrate, de poser
quelques petites questions à Agathon, afin que, m'étant
mis d'accord avec lui, je parte de là pour faire mon discours.

— Je te le permets, dit Phèdre, questionne-le. »

Après cela, mon ami me dit que Socrate avait commencé à peu près ainsi :

XXI. — « C'est mon avis, cher Agathon, que tu as
bien débuté en disant qu'il fallait montrer d'abord ce
qu'est Eros, puis ce qu'il est capable de faire. J'aime
fort ce début. Voyons donc, après tout ce que tu as dit
de beau et de magnifique sur la nature d'Eros, que je te
pose une question sur ce point. Est-il dans la nature
de l'Amour [45] qu'il soit l'amour de quelque chose ou de
rien ? Je ne demande pas s'il est l'amour d'une mère ou
d'un père; il serait ridicule de demander si l'Amour est
l'amour qu'on a pour une mère ou un père; mais si, par
exemple, je demandais si un père, en tant que père, est
le père de quelqu'un ou non, tu me dirais sans doute, si
tu voulais répondre comme il faut, qu'un père est père
d'un fils ou d'une fille, n'est-ce pas ?

— Oui, répondit Agathon.

— Ne dirais-tu pas la même chose d'une mère ?

Agathon en convint aussi.

— Laisse-moi donc, ajouta Socrate, te poser encore
quelques questions afin de te rendre ma pensée plus
sensible. Si je demandais : Voyons, un frère, en tant que
frère, est-il ou n'est-il pas frère de quelqu'un ?

— Il est frère de quelqu'un.

— D'un frère ou d'une sœur ?

— Sans doute, avoua-t-il.

— Essaye donc aussi, reprit Socrate, à propos de
l'Amour, de nous dire s'il est l'amour de quelque chose
ou de rien.

— Il est certainement l'amour de quelque chose.

— Garde donc dans ta mémoire, dit Socrate, de quoi

il est amour, et réponds seulement à ceci : l'Amour désire-t-il ou non l'objet dont il est amour ?

— Il le désire, répondit-il.

— Mais, reprit Socrate, quand il désire et aime, a-t-il ce qu'il désire et aime, ou ne l'a-t-il pas ?

— Vraisemblablement il ne l'a pas, dit Agathon.

— Vois, continua Socrate, si, au lieu de vraisemblablement, il ne faut pas dire nécessairement que celui qui désire désire une chose qui lui manque et ne désire pas ce qui ne lui manque pas. Pour ma part, c'est merveille comme je trouve cela nécessaire, et toi ?

— Moi aussi, dit Agathon.

— Fort bien. Donc un homme qui est grand ne saurait vouloir être grand, ni un homme qui est fort, être fort ?

— C'est impossible, d'après ce dont nous sommes convenus.

— En effet, étant ce qu'il est, il ne saurait avoir besoin de le devenir.

— C'est vrai.

— Si en effet, reprit Socrate, un homme fort voulait être fort, un homme agile, être agile, un homme bien portant, être bien portant — peut-être pourrait-on croire que les hommes qui sont tels et possèdent ces qualités et autres semblables désirent encore ce qu'ils ont déjà; c'est pour ne pas tomber dans cette illusion que j'insiste — pour ces gens-là, Agathon, si tu veux y réfléchir, il est nécessaire qu'ils aient au moment présent chacune des qualités qu'ils ont, qu'ils le veuillent ou non; comment donc pourraient-ils désirer ce qu'ils ont ? Et si quelqu'un soutenait qu'étant en bonne santé il désire être en bonne santé, qu'étant riche il désire être riche et qu'il désire les biens mêmes qu'il possède, nous lui répondrions : Toi, l'ami, qui jouis de la richesse, de la santé, de la force, tu veux jouir de ces biens pour l'avenir aussi, puisque dans le moment présent, que tu le veuilles ou non, tu les possèdes. Vois donc, quand tu prétends désirer ce que tu as, si tu ne veux pas précisément dire : Je veux posséder aussi dans l'avenir les biens que je possède maintenant.

Il en tomberait d'accord, n'est-ce pas ?

— Je le pense comme toi, dit Agathon.

Socrate reprit : « N'est-ce pas aimer une chose dont on ne dispose pas encore, et qu'on n'a pas, que de souhaiter pour l'avenir la continuation de la possession présente ?

— Assurément, dit Agathon.

— Cet homme donc, comme tous ceux qui désirent,

désire ce qui n'est pas actuel ni présent; ce qu'on n'a pas, ce qu'on n'est pas, ce dont on manque, voilà les objets du désir et de l'amour.

— Il est vrai, répondit Agathon.

— Voyons maintenant, reprit Socrate, récapitulons. N'avons-nous pas reconnu d'abord que l'Amour est l'amour de certaines choses, ensuite de celles dont il sent le besoin?

— Si, dit Agathon.

— Outre cela, rappelle-toi de quoi tu as dit dans ton discours que l'Amour est amour. Je vais te le rappeler, si tu veux. Si je ne me trompe, tu as dit que l'ordre s'était établi chez les dieux grâce à l'amour du beau, car il n'y a pas d'amour du laid. N'est-ce pas à peu près ce que tu as dit?

— En effet, dit Agathon.

— Et avec raison, camarade, reprit Socrate; et s'il en est ainsi, l'Amour n'est-il pas l'amour de la beauté, et non de la laideur?

Il en convint.

— N'avons-nous pas reconnu qu'il aime ce dont il manque, et qu'il n'a pas?

— Si, dit-il.

— L'Amour manque donc de beauté, et n'en possède pas.

— C'est forcé, dit-il.

— Mais quoi? ce qui manque de beauté et n'en possède en aucune manière, peux-tu prétendre qu'il est beau?

— Non certes.

— Maintiens-tu, s'il en est ainsi, que l'Amour est beau?

— Je crains bien, Socrate, répondit Agathon, d'avoir parlé sans savoir ce que je disais.

— Et pourtant, continua Socrate, tu as fait un discours magnifique, Agathon. Mais réponds-moi encore un peu. Ne penses-tu pas que les bonnes choses sont belles en même temps?

— Je le pense.

— Eh bien, si l'Amour manque de beauté et si la beauté est inséparable de la bonté, il manque aussi de bonté.

— Je ne saurais te résister, Socrate, dit Agathon; il faut que je cède à tes raisons.

— C'est à la vérité, cher Agathon, dit Socrate, que tu ne peux résister; car à Socrate, ce n'est pas difficile.

XXII. — Mais je te laisse, toi, pour vous réciter le
discours sur l'Amour que j'ai entendu jadis de la bouche
d'une femme de Mantinée, Diotime [46], laquelle était
savante en ces matières et en bien d'autres. C'est elle qui
jadis avant la peste fit faire aux Athéniens les sacrifices qui
suspendirent le fléau pendant dix ans; c'est elle qui m'a
instruit sur l'amour, et ce sont ses paroles que je vais
essayer de vous rapporter, en partant des principes dont
nous sommes convenus, Agathon et moi; je le ferai,
comme je pourrai, sans le secours d'un interlocuteur [47].
Il faut que j'explique, comme tu l'as fait toi-même, Agathon, d'abord la nature et les attributs de l'Amour, ensuite
ses effets. Le plus facile est, je crois, de vous rapporter
l'entretien dans l'ordre où l'étrangère l'a conduit en me
posant des questions. Moi aussi, je lui disais à peu près
les mêmes choses qu'Agathon vient de me dire, que
l'Amour était un grand dieu et qu'il était l'amour du
beau; elle me démontra alors, par les mêmes raisons que
je l'ai fait à Agathon, que l'Amour n'est ni beau, comme
je le croyais, ni bon.

— Que dis-tu, Diotime, répliquai-je; alors l'Amour
est laid et mauvais?

— Parle mieux; penses-tu que ce qui n'est pas beau
soit nécessairement laid?

— Certes.

— Crois-tu aussi que qui n'est pas savant soit ignorant,
et ne sais-tu pas qu'il y a un milieu entre la science et
l'ignorance?

— Quel est-il?

— Ne sais-tu pas que c'est l'opinion vraie, mais dont
on ne peut rendre raison, et qu'elle n'est ni science —
car comment une chose dont on ne peut rendre raison
serait-elle science? — ni ignorance, car ce qui par hasard
possède le vrai ne saurait être ignorance; l'opinion vraie
est quelque chose comme un milieu entre la science et
l'ignorance.

— C'est juste, dis-je.

— Ne conclus donc pas forcément que ce qui n'est
pas beau est laid, et que ce qui n'est pas bon est mauvais;
ainsi en est-il de l'amour : ne crois pas, parce que tu
reconnais toi-même qu'il n'est ni bon ni beau, qu'il soit
nécessairement laid et mauvais, mais qu'il est quelque
chose d'intermédiaire entre ces deux extrêmes.

— Pourtant, dis-je, tout le monde reconnaît qu'il est
un grand dieu.

— En disant tout le monde, est-ce des ignorants, dit-elle, que tu entends parler, ou des savants aussi?

— De tous à la fois.

— Et comment, Socrate, reprit-elle en riant, serait-il reconnu comme un grand dieu par ceux qui prétendent qu'il n'est pas même un dieu?

— Qui sont ceux-là? dis-je.

— Toi le premier, dit-elle, moi ensuite.

Et moi de reprendre : Que dis-tu là?

— Rien que je ne prouve facilement, répliqua-t-elle. Dis-moi, n'est-ce pas ton opinion que tous les dieux sont heureux et beaux? et oserais-tu soutenir que parmi les dieux il y en ait un qui ne soit pas heureux ni beau?

— Non, par Zeus, répondis-je.

— Or les heureux, ne sont-ce pas, selon toi, ceux qui possèdent les bonnes et les belles choses?

— Assurément si.

— Mais tu as reconnu que l'Amour, parce qu'il manque des bonnes et des belles choses, désire ces choses mêmes dont il manque.

— Je l'ai reconnu en effet.

— Comment donc serait-il dieu, lui qui n'a part ni aux belles, ni aux bonnes choses?

— Il ne saurait l'être, ce semble.

— Tu vois donc, dit-elle, que toi non plus tu ne tiens pas l'Amour pour un dieu.

XXIII. — Que serait donc l'Amour? dis-je; mortel?

— Pas du tout.

— Alors quoi?

— Comme les choses dont je viens de parler, un milieu entre le mortel et l'immortel.

— Qu'entends-tu par là, Diotime?

— Un grand démon, Socrate; et en effet tout ce qui est démon tient le milieu entre les dieux et les mortels [48].

— Et quelles sont, dis-je, les propriétés d'un démon?

— Il interprète et porte aux dieux ce qui vient des hommes et aux hommes ce qui vient des dieux, les prières et les sacrifices des uns, les ordres des autres et la rémunération des sacrifices; placé entre les uns et les autres, il remplit l'intervalle, de manière à lier ensemble les parties du grand tout; c'est de lui que procèdent toute la divination et l'art des prêtres relativement aux sacrifices, aux initiations, aux incantations, et à toute la magie et la sorcellerie. Les dieux ne se mêlent pas aux hommes; c'est par l'intermédiaire du démon que les dieux

conversent et s'entretiennent avec les hommes, soit
pendant la veille, soit pendant le sommeil ; et l'homme
savant en ces sortes de choses est un démoniaque, tandis
que l'homme habile en quelque autre chose, art ou
métier, n'est qu'un artisan. Ces démons sont nombreux ;
il y en a de toutes sortes ; l'un d'eux est l'Amour.
    — De quel père, dis-je, et de quelle mère est-il né ?
    — C'est un peu long à raconter, répondit Diotime ;
je vais pourtant te le dire.
    Quand Aphrodite naquit, les dieux célébrèrent un
festin, tous les dieux, y compris Poros [49], fils de Mètis [50].
Le dîner fini, Pénia [51], voulant profiter de la bonne chère,
se présenta pour mendier et se tint près de la porte. Or
Poros, enivré de nectar, car il n'y avait pas encore de
vin, sortit dans le jardin de Zeus, et, alourdi par l'ivresse,
il s'endormit. Alors Pénia, poussée par l'indigence, eut
l'idée de mettre à profit l'occasion, pour avoir un enfant
de Poros : elle se coucha près de lui, et conçut l'Amour.
Aussi l'Amour devint-il le compagnon et le serviteur
d'Aphrodite, parce qu'il fut engendré au jour de naissance
de la déesse, et parce qu'il est naturellement amoureux
du beau, et qu'Aphrodite est belle.
    Etant fils de Poros et de Pénia, l'Amour en a reçu
certains caractères en partage. D'abord il est toujours
pauvre, et loin d'être délicat et beau comme on se
l'imagine généralement, il est dur, sec, sans souliers, sans
domicile ; sans avoir jamais d'autre lit que la terre, sans
couverture, il dort en plein air, près des portes et dans
les rues ; il tient de sa mère, et l'indigence est son éternelle
compagne. D'un autre côté, suivant le naturel de son
père, il est toujours à la piste de ce qui est beau et bon ;
il est brave, résolu, ardent, excellent chasseur, artisan
de ruses toujours nouvelles, amateur de science, plein
de ressources, passant sa vie à philosopher, habile
sorcier, magicien et sophiste. Il n'est par nature ni
immortel ni mortel ; mais dans la même journée, tantôt il
est florissant et plein de vie, tant qu'il est dans l'abondance, tantôt il meurt, puis renaît, grâce au naturel qu'il
tient de son père. Ce qu'il acquiert lui échappe sans cesse,
de sorte qu'il n'est jamais ni dans l'indigence, ni dans
l'opulence et qu'il tient de même le milieu entre la science
et l'ignorance, et voici pourquoi. Aucun des dieux ne
philosophe et ne désire devenir savant, car il l'est ; et, en
général, si l'on est savant, on ne philosophe pas ; les
ignorants non plus ne philosophent pas et ne désirent pas

devenir savants ; car l'ignorance a précisément ceci de fâcheux que, n'ayant ni beauté, ni bonté, ni science, on s'en croit suffisamment pourvu. Or, quand on ne croit pas manquer d'une chose, on ne la désire pas.

Je demandai : Quels sont donc, Diotime, ceux qui philosophent, si ce ne sont ni les savants ni les ignorants ?

— Un enfant même, répondit-elle, comprendrait tout de suite que ce sont ceux qui sont entre les deux, et l'Amour est de ceux-là. En effet, la science compte parmi les plus belles choses ; or l'Amour est l'amour des belles choses ; il est donc nécessaire que l'Amour soit philosophe, et, s'il est philosophe, qu'il tienne le milieu entre le savant et l'ignorant ; et la cause en est dans son origine, car il est fils d'un père savant et plein de ressources, mais d'une mère sans science ni ressources. Voilà, mon cher Socrate, quelle est la nature du démon. Quant à la façon dont tu te représentais l'Amour, ton cas n'a rien d'étonnant ; tu t'imaginais, si je puis le conjecturer de tes paroles, que l'Amour est l'objet aimé et non le sujet aimant : voilà pourquoi, je pense, tu te le figurais si beau ; et, en effet, ce qui est aimable, c'est ce qui est réellement beau, délicat, parfait et bienheureux ; mais ce qui aime a un tout autre caractère, celui que je viens d'exposer ».

XXIV. — Je repris : « Il faut se rendre à ton raisonnement, étrangère, car il est juste. Mais l'Amour étant tel que tu viens de le dire, quels services rend-il aux hommes ?

— C'est justement, Socrate, ce que je vais à présent tâcher de t'apprendre, dit-elle. Tu connais la nature et l'origine de l'Amour et tu reconnais toi-même qu'il est l'amour des belles choses. Mais si l'on nous demandait : Pourquoi, Socrate et Diotime, l'Amour est-il l'amour des belles choses ? ou, pour parler plus clairement, en aimant les belles choses, qu'aime-t-on ?

Je répondis : Les avoir à soi.

— Cette réponse, dit-elle, appelle une autre question qui est celle-ci : Qu'est-ce qu'aura celui qui possédera les belles choses ?

Je répondis que je ne pouvais répondre au pied levé à une pareille question.

— Mais si, par exemple, dit-elle, substituant le mot bon au mot beau, on te demandait : Voyons, Socrate, quand on aime les bonnes choses, qu'aime-t-on ?

— Les posséder, répondis-je.

— Et qu'est-ce qu'aura celui qui possédera les bonnes choses ?

— La réponse, dis-je, est plus facile : il sera heureux.

— C'est en effet, dit-elle, dans la possession des bonnes choses que consiste le bonheur, et l'on n'a plus besoin de demander pourquoi celui qui désire le bonheur veut être heureux : on est arrivé au terme de la question, ce me semble.

— C'est juste, dis-je.

— Mais cette volonté et cet amour, sont-ils, selon toi, communs à tous les hommes, et tous veulent-ils toujours posséder ce qui est bon ? qu'en penses-tu ?

— Je pense, dis-je, qu'ils sont communs à tous les hommes.

— Pourquoi donc, Socrate, reprit-elle, ne disons-nous pas de tous les hommes qu'ils aiment, puisqu'ils aiment tous et toujours les mêmes choses, mais que les uns aiment, et les autres, non ?

— Cela m'étonne aussi, dis-je.

— Cesse de t'étonner, dit-elle ; car c'est à une espèce d'amour particulière que nous réservons le nom d'amour, lui appliquant le nom du genre entier ; pour les autres espèces, nous nous servons d'autres mots.

— Un exemple ? dis-je.

— En voici un. Tu sais que le mot poésie représente bien des choses. En général on appelle poésie[52] la cause qui fait passer quelque chose du non-être à l'existence, de sorte que les créations dans tous les arts sont des poésies, et que les artisans qui les font sont tous des poètes.

— C'est vrai.

— Cependant, ajouta-t-elle, tu vois qu'on ne les appelle pas poètes et qu'ils ont d'autres noms, et qu'une seule portion mise à part de l'ensemble de la poésie, celle qui est relative à la musique et aux mètres, est appelée du nom du genre entier ; car cette portion seule s'appelle poésie, et ceux qui la cultivent, poètes.

— C'est vrai, dis-je.

— Il en est ainsi de l'amour ; en général le désir du bien et du bonheur, sous toutes ses formes, voilà pour tout le monde « le grand et industrieux Amour ». Mais il y a beaucoup de manières de s'adonner à l'amour, et de ceux qui recherchent l'argent, les exercices physiques, la philosophie, on ne dit pas qu'ils aiment et sont amants ; mais il y a une espèce particulière d'amour dont les adeptes et sectateurs reçoivent les noms du genre entier : amour, aimer, amant.

— Il semble bien que tu aies raison, dis-je.

— On dit parfois, continua-t-elle, que chercher la moitié de soi-même, c'est aimer; et moi je dis, mon cher, qu'aimer, ce n'est chercher ni la moitié ni le tout de soi-même, si cette moitié et ce tout ne sont pas bons, puisque les hommes consentent à se laisser couper les pieds et les mains, quand ces parties d'eux-mêmes leur paraissent mauvaises; car ce n'est pas, je pense, à ce qui lui appartient que chacun de nous s'attache, à moins qu'il ne regarde le bien comme une chose qui lui est propre et fait partie de lui-même, et le mal comme une chose étrangère; car les hommes n'aiment que le bien; n'est-ce pas ton avis?

— Si, par Zeus, répondis-je.

— Donc, reprit-elle, on peut dire simplement que les hommes aiment le bien?

— Oui, répliquai-je.

— Mais ne faut-il pas ajouter, reprit-elle, qu'ils aiment que le bien soit à eux?

— Il le faut ajouter.

— Et non seulement qu'il soit à eux, continua-t-elle, mais qu'il soit à eux toujours?

— Oui, aussi.

— L'amour est donc en somme, dit-elle, le désir de posséder toujours le bien.

— C'est parfaitement exact », répondis-je.

XXV. — Elle continua : « Si l'amour est en général l'amour du bien, comment et dans quel cas appliquera-t-on le nom d'amour à la passion et à l'ardeur de ceux qui poursuivent la possession du bien? Qu'est-ce au juste que cette action spéciale? Pourrais-tu me le dire?

— Si je le savais, Diotime, lui dis-je, je ne serais pas en admiration devant ta science, et je ne fréquenterais pas chez toi pour m'instruire précisément sur ces matières.

— Eh bien! reprit-elle, je vais te le dire. C'est l'enfantement dans la beauté, selon le corps et selon l'esprit.

— Il faut être devin, dis-je, pour saisir ce que tu dis, et je ne comprends pas.

— Eh bien, reprit-elle, je vais parler plus clairement. Tous les hommes, dit-elle, sont féconds, Socrate, selon le corps et selon l'esprit. Quand nous sommes en âge, notre nature sent le désir d'engendrer, mais elle ne peut engendrer dans le laid, elle ne le peut que dans le beau; et en effet l'union de l'homme et de la femme est enfantement. C'est là une œuvre divine, et l'être mortel participe à l'immortalité par la fécondation et la génération; mais elle est impossible dans ce qui est discordant; or le laid ne s'accorde jamais avec le divin, tandis que le beau s'y accorde. La Beauté est donc pour la génération une Moire[53] et une Eileithyie. Aussi quand l'être pressé d'enfanter s'approche du beau, il devient joyeux, et, dans son allégresse, il se dilate et enfante et produit; quand, au contraire, il s'approche du laid, renfrogné et chagrin, il se resserre sur lui-même, se détourne, se replie et n'engendre pas; il garde son germe, et il souffre. De là vient pour l'être fécond et gonflé de sève le ravissement dont il est frappé en présence de la beauté, parce qu'elle le délivre de la grande souffrance du désir; car l'amour, ajouta-t-elle, n'est pas l'amour du beau, Socrate, comme tu le crois.

— Qu'est-ce donc?

— L'amour de la génération et de l'enfantement dans le beau.

— Je veux bien l'admettre, dis-je.

— Rien n'est plus vrai, reprit-elle. Mais pourquoi de la génération? Parce que la génération est pour un mortel quelque chose d'immortel et d'éternel; or le désir de l'immortalité est inséparable du désir du bien, d'après ce dont nous sommes convenus, puisque l'amour est le désir de la possession perpétuelle du bien : il s'ensuit nécessairement que l'amour est aussi l'amour de l'immortalité ».

XXVI. — Tout ce que je viens de dire, je l'ai recueilli de sa bouche quand elle parlait de l'amour. Un jour elle me demanda : « Quelle est, à ton sens, la cause de cet amour et de ce désir, Socrate? N'as-tu pas observé dans quelle crise étrange sont tous les animaux, ceux qui volent comme ceux qui marchent, quand ils sont pris du désir d'enfanter, comme ils sont tous malades et travaillés par l'amour, d'abord au moment de s'accoupler, ensuite quand il faut nourrir leur progéniture; comme ils sont prêts à la défendre, même les plus faibles contre les plus forts, et à mourir pour elle; comme ils se laissent torturer eux-mêmes par la faim pour la sustenter et comme ils sont prêts à tous les sacrifices en sa faveur? A l'égard des hommes, ajouta-t-elle, on pourrait croire que c'est la réflexion qui les fait agir ainsi; mais pour les animaux, quelle est la cause de ces dispositions si amoureuses? pourrais-tu le dire? »

J'avouai encore une fois que je l'ignorais.

Elle reprit : « Et tu penses devenir jamais connaisseur en amour, en ignorant une pareille chose ?

— Mais c'est pour cela, Diotime, je te le répète, que je m'adresse à toi, sachant que j'ai besoin de leçons. Dis-moi donc la cause de ces phénomènes et des autres effets de l'amour.

— Si tu crois, dit-elle, que l'objet naturel de l'amour est celui sur lequel nous sommes tombés d'accord à plusieurs reprises, quitte ton air étonné. Car c'est encore ici, comme précédemment, le même principe d'après lequel la nature mortelle cherche toujours, autant qu'elle le peut, la perpétuité et l'immortalité; mais elle ne le peut que par la génération, en laissant toujours un individu plus jeune à la place d'un plus vieux. En réalité, même dans le temps que chaque animal passe pour être vivant et identique à lui-même, dans le temps par exemple qu'il passe de l'enfance à la vieillesse, bien qu'on dise qu'il est le même, il n'a jamais en lui les mêmes choses [54]; mais sans cesse il rajeunit et se dépouille dans ses cheveux, dans sa chair, dans ses os, dans son sang, dans tout son corps, et non seulement dans son corps, mais aussi dans son âme : mœurs, caractère, opinions, passions, plaisirs, chagrins, craintes, jamais aucune de ces choses ne reste la même en chacun de nous; mais les unes naissent, les autres meurent.

Mais voici qui est beaucoup plus étrange encore, c'est que nos connaissances mêmes tantôt naissent, tantôt périssent en nous, et que nous ne sommes jamais identiques à nous-mêmes à cet égard; et même chaque connaissance isolée est sujette à ce changement; car nous n'avons recours à ce qu'on appelle réfléchir que parce que la connaissance nous échappe; l'oubli est la fuite de la connaissance, et la réflexion, en suscitant un souvenir nouveau à la place de celui qui s'en va, maintient la connaissance, de façon qu'elle paraît être la même. C'est de cette manière que tout ce qui est mortel se conserve, non point en restant toujours exactement le même, comme ce qui est divin, mais en laissant toujours à la place de l'individu qui s'en va et vieillit un jeune qui lui ressemble. C'est par ce moyen, Socrate, ajouta-t-elle, que ce qui est mortel, le corps et le reste, participe à l'immortalité; ce qui est immortel l'est d'une autre manière. Ne t'étonne donc plus si tout être prise son rejeton : car c'est en vue de l'immortalité que chacun a reçu ce zèle et cet amour. »

XXVII. — Après avoir entendu ce discours, je lui dis, plein d'admiration : « C'est bien, très sage Diotime ; mais les choses sont-elles bien réellement comme tu le dis ? »

Elle reprit sur le ton d'un sophiste accompli : « N'en doute pas, Socrate. Aussi bien, si tu veux considérer l'ambition des hommes, tu seras surpris de son absurdité, à moins que tu n'aies présent à l'esprit ce que j'ai dit, et que tu ne songes au singulier état où les met le désir de se faire un nom et d'acquérir une gloire d'une éternelle durée. C'est ce désir, plus encore que l'amour des enfants, qui leur fait braver tous les dangers, dépenser leur fortune, endurer toutes les fatigues et sacrifier leur vie. Penses-tu, en effet, dit-elle, qu'Alceste serait morte pour Admète, qu'Achille se serait dévoué à la vengeance de Patrocle ou que votre Codros aurait couru au-devant de la mort pour garder le trône à ses enfants s'ils n'avaient pas pensé laisser de leur courage le souvenir immortel que nous en gardons aujourd'hui ? Tant s'en faut, dit-elle, et je ne crois pas me tromper en disant que c'est en vue d'une louange immortelle et d'une renommée comme la leur que tous les hommes se soumettent à tous les sacrifices, et cela d'autant plus volontiers qu'ils sont meilleurs ; car c'est l'immortalité qu'ils aiment.

Et maintenant, continua-t-elle, ceux qui sont féconds selon le corps se tournent de préférence vers les femmes, et c'est leur manière d'aimer que de procréer des enfants, pour s'assurer l'immortalité, la survivance de leur mémoire, le bonheur, pour un avenir qu'ils se figurent éternel. Pour ceux qui sont féconds selon l'esprit... car il en est, dit-elle, qui sont encore plus féconds d'esprit que de corps pour les choses qu'il convient à l'âme de concevoir et d'enfanter ; or que lui convient-il d'enfanter ? la sagesse et les autres vertus qui ont précisément pour pères tous les poètes et ceux des artistes qui ont le génie de l'invention. Mais la partie la plus importante et la plus belle de la sagesse, dit-elle, est celle qui a trait au gouvernement des Etats et des familles et qu'on nomme prudence et justice. Quand l'âme d'un homme, dès l'enfance, porte le germe de ces vertus, cet homme divin sent le désir, l'âge venu, de produire et d'enfanter ; il va, lui aussi, cherchant partout le beau pour y engendrer ; car pour le laid, il n'y engendrera jamais. Pressé de ce désir, il s'attache donc aux beaux corps de préférence aux laids, et s'il y rencontre une âme belle, généreuse et bien née, cette double beauté le séduit entièrement. En présence d'un tel homme, il sent aussitôt affluer les paroles sur la vertu, sur les devoirs et les occupations de l'homme de bien, et il entreprend de l'instruire ; et en effet, par le contact et la fréquentation de la beauté, il enfante et engendre les choses dont son âme était grosse depuis longtemps ; présent ou absent, il pense à lui et il nourrit en commun avec lui le fruit de leur union. De tels couples sont en communion plus intime et liés d'une amitié plus forte que les père et mère parce qu'ils ont en commun des enfants plus beaux et plus immortels. Il n'est personne qui n'aime mieux se voir de tels enfants que les enfants selon la chair, quand il considère Homère, Hésiode et les autres grands poètes, qu'il envie d'avoir laissé après eux des rejetons immortels qui leur assurent une gloire et une mémoire immortelles aussi ; ou encore, ajouta-t-elle, lorsqu'il se remémore quels enfants Lycurgue a laissés à Lacédémone pour le salut de cette ville et, on peut le dire, de la Grèce tout entière. Solon jouit chez vous de la même gloire, pour avoir donné naissance à vos lois, et d'autres en jouissent en beaucoup d'autres pays, grecs ou barbares, pour avoir produit beaucoup d'œuvres éclatantes et enfanté des vertus de tout genre : maints temples leur ont été consacrés à cause de ces enfants spirituels ; personne n'en a obtenu pour des enfants issus d'une femme.

XXVIII. — On peut se flatter peut-être de t'initier, toi aussi, Socrate, à ces mystères de l'amour ; mais pour le dernier degré, la contemplation [55], qui en est le but, pour qui suit la bonne voie, je ne sais si ta capacité va jusque-là. Je vais néanmoins, dit-elle, continuer, sans ménager mon zèle ; essaye de me suivre, si tu peux. Quiconque veut, dit-elle, aller à ce but par la vraie voie, doit commencer dans sa jeunesse par rechercher les beaux corps. Tout d'abord, s'il est bien dirigé, il doit n'aimer qu'un seul corps et là enfanter de beaux discours. Puis il observera que la beauté d'un corps quelconque est sœur de la beauté d'un autre ; en effet, s'il convient de rechercher la beauté de la forme, il faudrait être bien maladroit pour ne point voir que la beauté de tous les corps est une et identique. Quand il s'est convaincu de cette vérité, il doit se faire l'amant de tous les beaux corps, et relâcher cet amour violent d'un seul, comme une chose de peu de prix, qui ne mérite que dédain. Il faut ensuite qu'il considère la beauté des âmes comme

plus précieuse que celle des corps, en sorte qu'une belle
âme, même dans un corps médiocrement attrayant, lui
suffise pour attirer son amour et ses soins, lui faire
enfanter de beaux discours et en chercher qui puissent
rendre la jeunesse meilleure. Par là il est amené à regarder
la beauté qui est dans les actions et dans les lois, à voir
que celle-ci est pareille à elle-même dans tous les cas, et
conséquemment à regarder la beauté du corps comme
peu de chose. Des actions des hommes, il passera aux
sciences et il en reconnaîtra aussi la beauté; ainsi arrivé
à une vue plus étendue de la beauté, il ne s'attachera plus
à la beauté d'un seul objet et il cessera d'aimer, avec les
sentiments étroits et mesquins d'un esclave, un enfant,
un homme, une action. Tourné désormais vers l'Océan
de la beauté et contemplant ses multiples aspects, il
enfantera sans relâche de beaux et magnifiques discours
et les pensées jailliront en abondance de son amour de la
sagesse, jusqu'à ce qu'enfin son esprit fortifié et agrandi
aperçoive une science unique, qui est celle du beau dont
je vais parler. Tâche, dit-elle, de me prêter la plus grande
attention dont tu es capable.

XXIX. — Celui qu'on aura guidé jusqu'ici sur le
chemin de l'amour, après avoir contemplé les belles
choses dans une gradation régulière, arrivant au terme
suprême, verra soudain une beauté d'une nature merveilleuse, celle-là même, Socrate, qui était le but de tous
ses travaux antérieurs, beauté éternelle, qui ne connaît
ni la naissance ni la mort, qui ne souffre ni accroissement
ni diminution, beauté qui n'est point belle par un côté,
laide par un autre, belle en un temps, laide en un autre,
belle sous un rapport, laide sous un autre, belle en tel lieu,
laide en tel autre, belle pour ceux-ci, laide pour ceux-là;
beauté qui ne se présentera pas à ses yeux comme un
visage, ni comme des mains, ni comme une forme corporelle, ni comme un raisonnement, ni comme une science,
ni comme une chose qui existe en autrui, par exemple
dans un animal, dans la terre, dans le ciel ou dans telle
autre chose; beauté qui, au contraire, existe en elle-même
et par elle-même, simple et éternelle, de laquelle participent toutes les autres belles choses, de telle manière
que leur naissance ou leur mort ne lui apporte ni augmen-
tation, ni amoindrissement, ni altération d'aucune sorte.
Quand on s'est élevé des choses sensibles par un amour
bien entendu des jeunes gens jusqu'à cette beauté et
qu'on commence à l'apercevoir, on est bien prêt de

toucher au but; car la vraie voie de l'amour, qu'on s'y engage de soi-même ou qu'on s'y laisse conduire, c'est de partir des beautés sensibles et de monter sans cesse vers cette beauté surnaturelle en passant comme par échelons d'un beau corps à deux, de deux à tous, puis des beaux corps aux belles actions, puis des belles actions aux belles sciences, pour aboutir des sciences à cette science qui n'est autre chose que la science de la beauté absolue et pour connaître enfin le beau tel qu'il est en soi.

Si la vie vaut jamais la peine d'être vécue, cher Socrate, dit l'étrangère de Mantinée, c'est à ce moment où l'homme contemple la beauté en soi. Si tu la vois jamais, que te sembleront auprès d'elle l'or, la parure, les beaux enfants et les jeunes gens dont la vue te trouble aujourd'hui, toi et bien d'autres, à ce point que, pour voir vos bien-aimés et vivre avec eux sans les quitter, si c'était possible, vous consentiriez à vous priver de boire et de manger, sans autre désir que de les regarder et de rester à leurs côtés. Songe donc, ajouta-t-elle, quel bonheur ce serait pour un homme s'il pouvait voir le beau lui-même, simple, pur, sans mélange, et contempler, au lieu d'une beauté chargée de chairs, de couleurs et de cent autres superfluités périssables, la beauté divine elle-même sous sa forme unique. Penses-tu que ce soit une vie banale que celle d'un homme qui, élevant ses regards là-haut, contemple la beauté avec l'organe approprié [56] et vit dans son commerce? Ne crois-tu pas, ajouta-t-elle, qu'en voyant ainsi le beau avec l'organe par lequel il est visible, il sera le seul qui puisse engendrer, non des fantômes de vertu, puisqu'il ne s'attache pas à un fantôme, mais des vertus véritables, puisqu'il saisit la vérité? Or c'est à celui qui enfante et nourrit la vertu véritable qu'il appartient d'être chéri des dieux et, si jamais homme devient immortel, de le devenir lui aussi. »

Voilà, Phèdre et vous tous qui m'écoutez, ce que m'a dit Diotime. Elle m'a persuadé et, à mon tour, j'essaye de persuader aux autres que, pour acquérir un tel bien, la nature humaine trouverait difficilement un meilleur auxiliaire que l'Amour. Voilà pourquoi je proclame que tout homme doit honorer l'Amour, pourquoi je l'honore moi-même et m'adonne particulièrement à son culte; pourquoi je le recommande aux autres, pourquoi maintenant, comme toujours, je loue la puissance et la virilité de l'amour, autant que j'en suis capable. Tu peux

voir, si tu veux, Phèdre, dans ce discours un éloge de
l'Amour; sinon donne-lui tel nom qu'il te plaira ».

XXX. — Quand Socrate eut fini de parler, tout le
monde le félicita; seul, Aristophane se disposait à répliquer, parce que Socrate en discutant avait fait allusion
à un passage de son discours [57], quand soudain la porte
extérieure de la cour résonna, comme sous les coups
redoublés d'un cortège de buveurs, et qu'une joueuse
de flûte se fit entendre.

« Esclaves, dit Agathon, courez voir, et, si c'est
quelqu'un de nos amis, invitez-le; sinon, dites que nous
avons fini de boire et que maintenant nous reposons. »

Peu après, on entendit dans la cour la voix d'Alcibiade,
fortement pris de vin, qui criait à plein gosier : « Où est
Agathon? qu'on me mène à Agathon. » Alors la joueuse
de flûte et quelques autres de ses compagnons, le prenant
sous les bras, nous l'amenèrent. Il s'arrêta à la porte,
couronné d'une épaisse guirlande de lierre et de violettes
et la tête toute couverte de bandelettes. « Salut, amis,
dit-il. Voulez-vous admettre à boire avec vous un homme
qui a déjà beaucoup bu, ou faudra-t-il nous en aller, en
nous bornant à couronner Agathon, ce qui est le but de
notre venue? Hier, ajouta-t-il, il ne m'a pas été possible
de venir; mais aujourd'hui me voici, avec ces bandelettes sur la tête pour en couronner le front de l'homme
que je proclame le plus sage et le plus beau [58]. Vous
moquerez-vous de moi parce que je suis ivre? Riez, si
vous voulez, je sais bien que je dis la vérité. Mais dites-
moi tout de suite si je puis entrer ou non, à la condition
que j'ai dite. Voulez-vous, oui ou non, boire avec moi? »

Toute la compagnie l'acclama et le pria d'entrer et
de prendre place à table. Agathon lui-même l'appela.
Il entra, conduit par ses compagnons, et il enleva ses
bandelettes pour en couronner Agathon. Comme il les
avait devant les yeux, il ne vit pas Socrate et s'assit
près d'Agathon, entre lui et Socrate qui s'était écarté
pour lui faire place aussitôt qu'il l'avait aperçu. Une
fois assis, il embrassa Agathon et le couronna.

« Esclaves, dit Agathon, ôtez-lui ses chaussures afin
qu'il s'attable en tiers avec nous.

— Je le veux bien, dit Alcibiade; mais quel est ce
troisième convive? »

En même temps il se retourna et vit Socrate, sur quoi
il sursauta et dit : « O Hèraclès, qu'est ceci? Socrate ici?
Te voilà encore ici à m'attendre en embuscade, suivant

ton habitude d'apparaître soudain là où je m'attendais
le moins à te rencontrer. Maintenant encore qu'es-tu
venu faire ici ? et pourquoi aussi t'es-tu placé là ? pourquoi pas près d'Aristophane ou de quelque autre plaisant
ou qui veut l'être ? Tu t'es arrangé pour te placer près du
plus beau garçon de la compagnie.

— Agathon, dit Socrate, vois si tu peux me secourir.
L'amour que j'ai pour cet homme ne m'est pas d'un petit
embarras ; depuis que je me suis mis à l'aimer, il ne m'est
plus permis de donner un coup d'œil ni d'adresser la
parole à un beau garçon ; autrement, jaloux et envieux, il
me fait une scène, m'injurie et se tient à peine de me
frapper. Vois donc à l'empêcher de faire quelque extra-
vagance et fais ma paix avec lui ; ou, s'il veut se porter
à quelque violence, défends-moi ; car je tremble devant
sa fureur et son amour.

— Non, répondit Alcibiade, il n'y a pas de paix possible entre toi et moi ; mais je me vengerai de ce trait
une autre fois ; en attendant, Agathon, rends-moi
quelques bandelettes, que j'en couronne aussi la tête
merveilleuse de cet homme, et qu'il ne vienne pas me
reprocher de t'avoir couronné et de l'avoir oublié, lui
qui par ses discours est vainqueur de tout le monde, non
pas seulement comme toi, avant-hier, mais en toutes les
rencontres. »

Et ce disant, il prit des bandelettes, en couronna
Socrate et s'accouda sur le lit.

XXXI. — S'étant ainsi placé, il dit : « Voyons, camarades, vous me paraissez bien sobres ; c'est une chose
qu'on ne vous passera pas : il faut boire, c'est dans nos
conventions. Donc, pour roi du festin, je choisis, jusqu'à
ce que vous ayez bu, moi-même. Maintenant, qu'Agathon
nous procure une large coupe, s'il en a ; ou plutôt cela
n'est pas nécessaire ; apporte-nous, enfant, ce vase à
rafraîchir, dit-il, en avisant un vase qui contenait plus de
huit cotyles [59].

Il le fit remplir et le vida le premier, puis il le fit remplir
de nouveau pour Socrate et dit : « A l'égard de Socrate,
inutile d'y mettre de la finesse : il boira tant qu'on voudra,
sans risquer de s'enivrer jamais. »

L'esclave ayant versé, Socrate but.

Alors Eryximaque prit la parole : « Qu'allons-nous faire
à présent, Alcibiade ? Allons-nous rester ainsi sans
parler ni chanter après boire ? Allons-nous boire tout
bonnement comme des gens altérés ?

— Eryximaque, répondit Alcibiade, excellent fils du meilleur et du plus sobre des pères, salut à toi.

— A toi aussi, dit Eryximaque; mais qu'allons-nous faire?

— Ce que tu ordonneras; car il faut t'obéir.

« *Un médecin vaut à lui seul beaucoup d'autres hommes* [60]. » Prescris donc ce que tu veux.

— Ecoute, dit Eryximaque. Nous avions décidé, avant ton arrivée, que chacun à son tour, en commençant par la droite, parlerait sur l'Amour et ferait le plus beau discours possible à sa louange. Or nous avons tous pris la parole; quant à toi, puisque tu n'as rien dit et que tu viens de boire, il est juste que tu la prennes; après quoi, tu commanderas à Socrate ce que tu voudras, et Socrate à son voisin de droite, et ainsi de suite.

— C'est fort bien dit, Eryximaque, reprit Alcibiade; mais à vouloir mettre en parallèle les discours d'un homme ivre avec ceux de gens qui n'ont pas bu, la partie ne semble pas égale. Et puis, bienheureux homme, crois-tu la moindre des choses que Socrate vient de dire? Ne sais-tu pas que c'est tout le contraire qui est vrai? Si en effet je loue quelqu'un en sa présence, soit dieu, soit homme autre que lui, il ne se tiendra pas de me battre.

— Parle mieux, dit Socrate.

— Par Poséidon, reprit Alcibiade, ne dis rien là contre, car je n'en louerai pas d'autre que toi en ta présence.

— Eh bien, dit Eryximaque, fais comme tu l'entendras, loue Socrate.

— Que dis-tu? reprit Alcibiade; est-ce bien ton avis, Eryximaque; tomberai-je sur cet homme, pour me venger devant vous?

— Eh! l'ami, dit Socrate, quelle est ton intention? Vas-tu faire de moi un éloge dérisoire? Que veux-tu faire?

— Dire la vérité; vois si tu m'y autorises.

— La vérité! Je te permets et te requiers de la dire.

— Tout de suite, dit Alcibiade. Pour toi, voici à quoi je t'engage : si j'avance quelque chose qui ne soit pas vrai, coupe-moi la parole, sans te gêner, et dis que c'est un mensonge; car je ne veux pas mentir volontairement; mais si je parle sans ordre, au hasard de mes souvenirs, n'en sois pas surpris : il n'est pas facile, dans l'état où je suis, de peindre en détail et avec suite ton originalité.

XXXII. — Pour louer Socrate, Messieurs, je procéderai par comparaison ; lui croira peut-être que je veux le tourner en ridicule ; non, c'est un portrait réel et non une caricature que je veux tracer ainsi. Je dis donc qu'il ressemble tout à fait à ces Silènes qu'on voit exposés dans les ateliers des statuaires [61], et que l'artiste a représentés avec des syringes et des flûtes à la main ; si on les ouvre en deux, on voit qu'ils renferment à l'intérieur des statues de dieux. Je soutiens aussi qu'il ressemble au satyre [62] Marsyas. Que tu ressembles de figure à ces demi-dieux, Socrate, c'est ce que toi-même tu ne saurais contester ; mais que tu leur ressembles aussi pour le reste, c'est ce que je vais prouver. Tu es un moqueur, n'est-ce pas ? Si tu n'en conviens pas, je produirai des témoins. Mais je ne suis pas joueur de flûte, diras-tu. Si, tu l'es, et beaucoup plus merveilleux que Marsyas. Il charmait les hommes par l'effet des sons que sa bouche tirait des instruments, et on les charme encore quand on joue ses mélodies ; car les airs que jouait Olympos [63] sont, suivant moi, de Marsyas, son maître ; en tout cas, qu'ils soient joués par un grand artiste ou par une méchante joueuse de flûte, ces airs ont seuls le pouvoir d'enchanter les cœurs, et, parce qu'ils sont divins, ils font reconnaître ceux qui ont besoin des dieux et des initiations. La seule différence qu'il y ait entre vous, c'est que tu en fais tout autant sans instruments, par de simples paroles. Quand on entend d'autres discours de quelque autre, fût-ce un orateur consommé, personne n'y prend pour ainsi dire aucun intérêt ; mais quand c'est toi qu'on entend, ou qu'un autre rapporte tes discours, si médiocre que soit le rapporteur, tous, femmes, hommes faits, jeunes garçons, nous sommes saisis et ravis.

Pour moi, mes amis, si je ne devais vous sembler tout à fait ivre, je prendrais les dieux à témoin de l'impression que ses discours ont produite et produisent toujours sur moi. Quand je l'entends, mon cœur palpite plus fort que celui des Corybantes, ses discours font jaillir les larmes de mes yeux, et je vois force gens qui éprouvent les mêmes émotions. En écoutant Périclès et d'autres grands orateurs, j'ai souvent pensé qu'ils parlaient bien ; mais je ne ressentais pas d'émotion pareille, mon cœur n'était pas troublé et je ne m'indignais pas d'avoir une âme d'esclave. Mais ce nouveau Marsyas m'a souvent mis dans des dispositions telles que je trouvais insupportable la vie que je menais.

Tu ne diras pas, Socrate, que cela n'est pas vrai; et encore maintenant je sens bien que, si je voulais prêter l'oreille à ses discours, je n'y résisterais pas, j'éprouverais les mêmes émotions; car il me force d'avouer qu'étant moi-même imparfait en bien des choses je me néglige moi-même pour m'occuper des affaires des Athéniens. Aussi je suis forcé de me boucher les oreilles, comme devant les sirènes, pour le quitter et le fuir, si je ne veux pas rester là, assis près de lui, jusqu'à ma vieillesse. J'éprouve devant lui seul un sentiment qu'on ne croirait pas trouver en moi, celui d'avoir honte devant quelqu'un : il est le seul devant qui je rougisse. Je sens bien l'impossibilité de contester qu'il ne faille faire ce qu'il ordonne; mais, quand je l'ai quitté, je sens aussi que l'ambition des honneurs populaires reprend le dessus; aussi je le fuis, comme un esclave marron, et, quand je le vois, je rougis de mes aveux passés, et souvent je voudrais qu'il ne fût pas au monde; mais, s'il en était ainsi, je sais bien que j'en aurais encore plus de chagrin : c'est au point que je ne sais comment faire avec cet homme-là.

XXXIII. — Tel est l'effet que les airs de flûte de ce satyre ont produit sur moi et sur beaucoup d'autres; mais je vais vous donner d'autres preuves de sa ressemblance avec ceux à qui je l'ai comparé et des merveilleuses qualités qu'il possède; car, sachez-le, personne de vous ne connaît Socrate : moi, je vais vous le faire connaître puisque j'ai commencé. En apparence, Socrate est amoureux des beaux garçons et tourne sans cesse autour d'eux avec des yeux ravis; d'autre part, il ignore tout et ne sait rien, il en a l'air du moins. Cela n'est-il pas d'un silène? Tout à fait. Ce sont en effet des dehors sous lesquels il se cache, comme le silène sculpté; mais si vous l'ouvrez, mes chers convives, de quelle sagesse vous le trouverez rempli. Sachez que la beauté d'un homme est son moindre souci : il la dédaigne à un point qu'on ne peut se figurer, comme aussi la richesse et tous les autres avantages que le vulgaire estime. Il juge que tous ces biens n'ont aucune valeur et nous regarde comme rien, je vous l'assure. Il passe toute sa vie à railler et à plaisanter avec les gens; mais quand il est sérieux et qu'il s'ouvre, je ne sais si quelqu'un a vu les beautés qui sont en lui; mais je les ai vues, moi, et elles m'ont paru si divines, si éclatantes, si belles, si merveilleuses qu'il n'y a pas moyen de résister à ses volontés.

Le croyant sérieusement épris de ma beauté, je crus

avoir là une aubaine et une chance extraordinaire; je
comptais qu'en retour de ma complaisance il m'appren-
drait tout ce qu'il savait; car Dieu sait si j'étais fier de
mes avantages. Dans cette pensée, je renvoyai pour
être seul avec lui mon gouverneur, qui d'habitude ne
me quittait pas quand j'étais avec Socrate. Il faut que
je vous dise ici la vérité tout entière; prêtez-moi donc
votre attention; et toi, Socrate, si je mens, reprends-
moi. Je restai en effet en tête à tête avec lui, mes amis,
et pensant qu'il allait me tenir les propos qu'un amant
tient à son bien-aimé, je m'en réjouissais déjà; mais il
n'en fut absolument rien. Il s'entretint avec moi comme
à l'ordinaire, et, la journée finie, s'en alla. Ensuite je
l'invitai à partager mes exercices gymnastiques, et je
m'essayai avec lui, croyant avancer mes affaires; puis
nous nous exerçâmes souvent et luttâmes ensemble sans
témoins. Que vous dirai-je? Je n'en étais pas plus avancé.
Comme je n'arrivais à rien par cette voie, je crus qu'il
fallait attaquer mon homme de vive force, et ne pas le
lâcher, puisque j'avais commencé, avant de savoir à
quoi m'en tenir. Je l'invitai donc à dîner avec moi, absolument comme font les amants qui tendent un piège à
leur bien-aimé. Il ne mit pas beaucoup d'empressement
à se rendre; mais il finit par céder. La première fois
qu'il vint, il voulut s'en aller, le dîner fini; cette fois-là,
retenu par la pudeur, je le laissai partir. Mais je lui tendis
un nouveau piège, et, après le dîner, je prolongeai l'entretien fort avant dans la nuit, et, quand il voulut partir, je
prétextai qu'il était trop tard et le forçai à rester. Il
reposa donc sur le lit où il avait dîné; ce lit était voisin
du mien, et personne autre que nous ne couchait dans
l'appartement.

Ce que j'ai dit jusqu'ici pourrait fort bien se répéter
devant tout le monde; pour ce qui suit, vos oreilles ne
l'entendraient pas, si tout d'abord, comme dit le proverbe, le vin, avec ou sans les enfants, ne disait la vérité [64];
si ensuite il ne me paraissait pas injuste dans un éloge de
Socrate de laisser dans l'ombre cet exemple de hautaine
continence. En outre, je suis comme celui qu'une vipère
a piqué : il refuse, dit-on, de parler de son cas, sauf à ceux
qui ont été piqués comme lui, parce que seuls ils peuvent
savoir et excuser les folies qu'il a osé faire ou dire sous le
coup de la douleur. Donc moi qui me sens mordu par
quelque chose de plus douloureux, dans la partie la plus
sensible de mon être — car j'ai été piqué et mordu au

cœur ou à l'âme (donnez-lui tel nom que vous voudrez)
par les discours de la philosophie, qui pénètrent plus
cruellement que le dard de la vipère, quand ils rencontrent
une âme jeune et bien née, et qui font dire ou faire toute
sorte d'extravagances — moi qui vois d'ailleurs un
Phèdre, un Agathon, un Eryximaque, un Pausanias, un
Aristodème, un Aristophane, sans parler de Socrate et des
autres, tous atteints comme moi de la folie et de la fureur
philosophique, je n'hésite pas à tout dire devant vous
tous; car vous saurez excuser ce que je fis alors et ce
que je vais dire à présent. Quant aux serviteurs et à tous
les profanes et à tous les ignares, qu'ils mettent devant
leurs oreilles des portes épaisses [65].

XXXIV. — Lors donc, messieurs, que la lampe fut
éteinte et les esclaves sortis, je jugeai qu'il ne fallait pas
biaiser avec lui, mais déclarer franchement ma pensée.
Je le touchai donc en disant : « Tu dors, Socrate ?

— Mais non, répondit-il.

— Sais-tu ce que je pense ?

— Explique-toi, dit-il.

— Je pense, repris-je, que tu es le seul amant digne
de moi, et je vois que tu hésites à te déclarer. Pour moi
voici mon sentiment : ce serait montrer peu de raison de
ne pas te complaire en ceci comme en toute chose où tu
pourrais avoir besoin de ma fortune ou de mes amis; car,
je n'ai rien plus à cœur que de me perfectionner le plus
possible, et pour cela je ne crois pas que je puisse trouver
d'aide plus efficace que la tienne. Aussi je rougirais
beaucoup plus devant les sages de ne pas céder aux
désirs d'un homme comme toi, que je ne rougirais devant
la foule des sots de te céder. »

A ce discours, il répondit avec l'ironie ordinaire qui le
caractérise : « Mon cher Alcibiade, il semble bien réellement que tu n'es pas un malavisé, si ce que tu viens de
dire de moi est véritable, et si je possède le pouvoir de te
rendre meilleur; en ce cas, tu aurais vu en moi une incon-
cevable beauté, bien supérieure à la beauté de tes formes;
or si, après une telle découverte, tu essayes d'entrer en
relation avec moi pour échanger beauté contre beauté,
c'est un marché passablement avantageux que tu veux
faire, puisque tu prétends obtenir des beautés réelles
pour des beautés imaginaires, et que tu songes à échanger
en réalité du fer contre de l'or [66]. Mais, mon bel ami,
regardes-y de plus près, et prends garde de te faire illusion sur mon peu de valeur. Les yeux de l'esprit ne

commencent à être perçants que quand ceux du corps commencent à baisser ; toi, tu es encore loin de cet âge. »

Là-dessus, je lui dis : « Pour ce qui est de moi, je viens de dire mon sentiment, et tout ce que j'ai dit, je le pense ; toi, de ton côté, vois ce que tu juges le plus à propos pour toi et pour moi.

— Bien parlé ! dit-il ; à l'avenir nous nous consulterons pour prendre le parti le plus à propos pour tous deux, sur ce point comme sur les autres. »

Après cet échange de propos, je pensai qu'il était blessé du trait que je lui avais décoché ; je me levai, sans lui permettre de rien ajouter, et, déployant sur lui mon manteau, car on était en hiver, je me couchai sous la vieille capote de cet homme-là et, jetant mes deux bras autour de cet être vraiment divin et merveilleux, je passai ainsi la nuit entière. Sur ce point non plus, Socrate, tu ne me donneras pas de démenti. Malgré ces avances, loin de se laisser vaincre par ma beauté, il n'eut pour elle que dédain, dérision, insulte, et pourtant ma beauté n'était pas peu de chose à mes yeux, juges ; car je vous fais juges de la superbe de Socrate. Sachez-le, par les dieux, par les déesses, je me levai de ses côtés, après avoir passé la nuit tout comme si j'avais dormi avec mon père ou mon frère aîné [67].

XXXV. — A partir de ce moment, vous pouvez penser dans quel état j'étais. Je me croyais méprisé, et j'admirais néanmoins son caractère, sa continence et sa force d'âme ; j'avais rencontré l'homme introuvable à mes yeux pour la sagesse et la fermeté. Le fait est que je ne pouvais lui en vouloir et renoncer à sa compagnie, et que d'autre part je ne voyais pas le moyen de le gagner ; car je le savais bien plus complètement invulnérable à l'argent qu'Ajax ne l'était au fer, et la seule amorce par laquelle j'espérais le prendre n'avait pu le retenir. J'étais donc embarrassé et j'allais, asservi à cet homme, comme nul ne le fut jamais à personne.

Voilà ce qui m'était arrivé, quand vint l'expédition de Potidée [68] : nous y prîmes part tous deux et il se trouva que nous mangions ensemble. Tout d'abord pour les travaux de la guerre, il se montra supérieur non seulement à moi, mais encore à tous les autres. Par exemple, quand nous étions coupés de nos ravitaillements, comme il arrive à la guerre, et réduits à jeûner, les autres n'étaient rien auprès de lui pour supporter les privations. En revanche, faisions-nous bombance, il était homme à en

jouir mieux que personne, et, si on le forçait à boire,
quoiqu'il ne boive pas volontiers, il avait raison de tout
le monde, et, ce qu'il y a de plus étonnant, c'est que
jamais personne ne l'a vu ivre : vous en aurez la preuve
tout à l'heure, je pense. Pour endurer le froid — les
hivers sont terribles en ce pays-là — il se montrait
étonnant; c'est ainsi qu'un jour par la gelée la plus forte
qui se puisse voir, alors que personne ne mettait le pied
dehors ou ne sortait que bien emmitouflé, chaussé, les
pieds enveloppés de feutre et de peaux d'agneau, on le
vit sortir avec le même manteau qu'il avait l'habitude de
porter et marcher pieds nus sur la glace plus aisément
que les autres avec leurs chaussures, et les soldats le
regardaient de travers, croyant qu'il les bravait.

XXXVI. — Et voilà ce que j'avais à dire sur son endurance;

« *mais ce que fit et supporta ce vaillant* [69] »,
en campagne, là-bas, il vaut la peine de l'entendre. Il
s'était mis à méditer et il était debout à la même place
depuis le point du jour, poursuivant une idée, et, comme
il n'arrivait pas à la démêler, il restait debout, obstiné-
ment attaché à sa recherche. Il était déjà midi; les soldats l'observaient et se disaient avec étonnement les uns
aux autres : Socrate est là debout à méditer depuis le
point du jour. Enfin, sur le soir, quelques Ioniens,
après avoir dîné, apportèrent leurs lits de camp dehors,
car on était alors en été, pour coucher au frais, tout en
observant Socrate, pour voir s'il resterait encore debout
la nuit; et lui se tint en effet dans cette posture jusqu'à
l'apparition de l'aurore et le lever du soleil; puis il s'en
alla, après avoir fait sa prière au soleil.

Voulez-vous savoir ce qu'il était dans les combats ?
car ici aussi il faut lui rendre justice. Dans la bataille à
la suite de laquelle les stratèges m'attribuèrent le prix
du courage, je ne dus mon salut qu'à lui seul. J'étais
blessé, il ne voulut pas m'abandonner, et il sauva tout
ensemble et mes armes et moi-même. Pour moi, Socrate,
en ce temps-là même je priai les stratèges de te donner le
prix. Sur ce point non plus je ne te crains ni reproche ni
démenti de ta part; mais les stratèges étant décidés, par
égard pour mon rang, à m'accorder le prix, toi-même tu
insistas plus qu'eux-mêmes pour qu'il me fût donné
plutôt qu'à toi.

Voici encore, Messieurs, une autre rencontre où la
conduite de Socrate mérite votre attention. C'était lors

de la déroute de l'armée à Délion [70]; le hasard m'amena près de lui; j'étais à cheval, lui à pied, en hoplite; nos soldats étant en pleine déroute, il se retirait avec Lachès. Je les rencontre par hasard, et aussitôt que je les aperçois je les exhorte à avoir bon courage, et les assure que je ne les abandonnerai pas. En cette occasion je pus observer Socrate mieux encore qu'à Potidée; car j'avais moins à craindre, étant à cheval. Je remarquai d'abord combien il était supérieur à Lachès pour le sang-froid; je le vis ensuite, qui là, comme dans les rues d'Athènes, s'avançait, suivant ton expression, Aristophane, « *en plastronnant et jetant les yeux de côté* » [71], et qui observait froidement amis et ennemis, et il sautait aux yeux, même de loin, que si l'on s'attaquait à un tel homme il se défendrait vaillamment. Aussi s'éloignait-il sans être inquiété, lui et son compagnon : généralement, à la guerre, on n'attaque même pas les hommes qui montrent de telles dispositions; on poursuit plutôt ceux qui fuient à la débandade.

On pourrait citer encore beaucoup d'autres traits admirables à la louange de Socrate; cependant, en ce qui concerne sa conduite en général, peut-être en pourrait-on dire autant d'un autre. Mais voici qui est tout à fait extraordinaire : c'est qu'il ne ressemble à aucun homme ni du temps passé, ni du temps présent. Achille a des pareils : on peut lui comparer Brasidas et d'autres; Périclès a les siens, par exemple Nestor, Anténor et d'autres encore; à tous les grands hommes on trouverait des pairs en chaque genre; mais un homme aussi original que celui-ci et des discours pareils aux siens, on peut les chercher, on n'en trouvera pas d'approchants ni dans le temps passé, ni dans le temps présent, à moins de le comparer à ceux que j'ai dits, aux Silènes et aux Satyres; car lui et ses discours n'admettent aucune comparaison avec les hommes.

XXXVII. — Effectivement c'est une chose que j'ai omis de dire en commençant, que ses discours ressemblent exactement à des silènes qui s'ouvrent. Si en effet l'on se met à écouter les discours de Socrate, on est tenté d'abord de les trouver grotesques : tels sont les mots et les tournures dont il enveloppe sa pensée qu'on dirait la peau d'un injurieux satyre. Il parle d'ânes bâtés, de forgerons, de cordonniers, de tanneurs, et il semble qu'il dit toujours les mêmes choses dans les mêmes termes, en sorte qu'il n'est lourdaud ignorant qui ne soit

tenté d'en rire; mais qu'on ouvre ces discours et qu'on
pénètre à l'intérieur, on trouvera d'abord qu'ils renferment un sens que n'ont point tous les autres, ensuite
qu'ils sont les plus divins et les plus riches en images de
vertu, qu'ils ont la plus grande portée ou plutôt qu'ils
embrassent tout ce qu'il convient d'avoir devant les yeux
pour devenir honnête homme.

Voilà, Messieurs, ce que je trouve à louer dans Socrate;
j'y ai mêlé mes reproches pour l'injure qu'il m'a faite.
Et je ne suis pas le seul qu'il ait ainsi traité : il en a fait
autant à Charmide, fils de Glaucon, à Euthydème, fils de
Dioclès, et à nombre d'autres, qu'il trompe en se donnant
comme amant, tandis qu'il prend plutôt le rôle du bien-
aimé que de l'amant. Je t'avertis toi aussi, Agathon,
pour que tu ne te laisses pas duper par cet homme-là et
qu'instruit par notre expérience tu prennes garde à toi
et n'imites pas l'enfant qui, au dire du proverbe, est
pris pour être appris. »

XXXVIII. — Quand Alcibiade eut fini de parler, on
rit de sa franchise, et de ce qu'il paraissait encore épris
de Socrate.

« On ne dirait pas que tu as bu, Alcibiade, reprit
Socrate; car tu n'aurais jamais tourné si subtilement
autour de ton sujet pour essayer de couvrir le but de
ton discours, but dont tu n'as parlé qu'à la fin, comme
d'une chose accessoire, comme si tu n'avais pas pris
la parole dans l'unique but de jeter la brouille entre
Agathon et moi, en prétendant que je dois t'aimer et
n'aimer que toi, et qu'Agathon doit être aimé de toi, et
de toi seul. Mais tu ne nous as pas trompés : nous voyons
clair dans ton drame satyrique et dans tes Silènes. Mais
faisons en sorte, cher Agathon, qu'il ne gagne rien à ce
jeu, et arrange-toi pour ne pas souffrir qu'on nous
désunisse.

— Tu pourrais bien avoir raison, Socrate, dit Agathon.
J'en juge par le simple fait qu'il a pris place entre toi et
moi pour nous séparer; mais il n'y gagnera rien, et je
vais me mettre près de toi.

— C'est cela, dit Socrate, viens t'asseoir à ma droite.

— O Zeus, s'écria Alcibiade, que me faut-il encore
endurer de cet homme! Il prétend me faire la loi partout.
Tout au moins, étonnant Socrate, laisse Agathon s'asseoir
entre nous deux.

— Impossible, dit Socrate; car tu viens de me louer;
il faut à mon tour que je loue celui qui est à ma droite;

or si Agathon s'assied à ta droite, il ne me louera pas à nouveau, n'est-ce pas ? avant d'avoir été loué par moi. Laisse-le donc faire, mon divin ami, et n'envie pas au jeune homme les louanges que je vais lui donner ; car je désire vivement faire son éloge.

— Ah ! ah ! dit Agathon, il est impossible, Alcibiade, que je reste à cette place : je veux absolument changer, afin d'être loué par Socrate.

— C'est toujours ainsi, dit Alcibiade : quand Socrate est là, il est impossible à tout autre d'approcher des beaux garçons. Voyez à présent encore comme il a trouvé facilement une raison plausible de faire asseoir celui-ci près de lui ! »

XXXIX. — Agathon se levait donc pour aller s'asseoir près de Socrate, quand soudain une grosse bande de buveurs se présenta à la porte, et, la trouvant ouverte par quelqu'un qui sortait, entra droit dans la salle du festin et prit place à table. Tout s'emplit de tumulte ; les convives n'obéirent plus à aucune règle et furent contraints de boire du vin à profusion. Alors Eryximaque, Phèdre et d'autres, dit Aristodème, se retirèrent. Quant à lui, cédant au sommeil, il dormit fort longtemps ; car les nuits étaient longues, et les coqs chantaient déjà, et le jour naissait quand il s'éveilla. En rouvrant les yeux, il s'aperçut que les autres dormaient ou étaient partis, et que, seuls, Agathon, Aristophane et Socrate étaient encore éveillés et buvaient à une large coupe qui circulait de gauche à droite. Socrate s'entretenait avec eux. Le reste de l'entretien avait échappé à Aristodème, car il ne l'avait pas suivi dès le commencement, parce qu'il s'était endormi ; mais en somme, dit-il, Socrate les avait amenés à reconnaître qu'il appartient au même homme de savoir traiter la comédie et la tragédie, et que, quand on est poète tragique par art, on est aussi poète comique. Forcés de le reconnaître, mais ne suivant plus qu'à demi, ils dodelinaient de la tête ; Aristophane s'endormit le premier, puis, comme il faisait déjà grand jour, Agathon. Socrate, les ayant ainsi endormis, se leva et s'en alla. Aristodème le suivit, comme il en avait l'habitude. Socrate se rendit au Lycée, et, après s'être baigné, y passa toute la journée à ses occupations ordinaires, puis il rentra chez lui pour se reposer.

PHÈDRE

NOTICE SUR LE PHÈDRE

ARGUMENT

Socrate rencontre Phèdre qui sort de chez son ami Lysias, ravi d'un discours que cet orateur a composé sur l'amour. Socrate demande à l'entendre, et les deux amis vont s'étendre, pour en faire la lecture, à l'ombre d'un platane au bord de l'Ilissos.

Le thème du discours est qu'il vaut mieux accorder ses faveurs à un poursuivant sans amour qu'à un amant. Lysias étaye son paradoxe sur les raisons suivantes : Un amant n'a pas plus tôt satisfait ses désirs qu'il se repent du bien qu'il a fait : sa tendresse est éphémère. Comment se fier d'ailleurs à un malade? car l'amour n'est autre chose qu'une maladie de l'âme. En outre le nombre des amants est limité et permet peu de choix, tandis que les prétendants sans amour sont légion. Rien n'est plus indiscret qu'un amant et plus préjudiciable à la bonne renommée. Deux causes s'opposent à la durée de l'amour : la jalousie toujours en éveil de l'amant et l'ignorance où il est, quand il s'éprend de la beauté physique, du vrai caractère de celui qu'il aime. L'amant par ses flatteries gâte le caractère de son bien-aimé et nuit à son perfectionnement moral. Mais peut-être dira-t-on que des relations sans amour sont languissantes : à ce compte il faudrait répudier aussi les affections de famille et l'amitié, et, s'il faut favoriser les gens en raison de la violence de leurs désirs, il faut donc aussi obliger, non les plus dignes, mais les plus affamés. Ceux qu'il faut favoriser sont au contraire ceux qui sauront le mieux témoigner leur reconnaissance.

Dans ce discours, où la fécondité de l'argumentation remplit Phèdre d'admiration, Socrate ne trouve à louer que l'élégance de l'expression; il en critique l'ordonnance, qui est si arbitraire et si décousue qu'on peut aussi bien

en commencer la lecture par la fin que par le début, et il
entreprend à son tour de traiter le sujet, sans craindre
la comparaison avec Lysias.

D'abord il définira l'amour, car, dit-il, toute discussion bien conduite doit partir d'une définition exacte.
Nous sommes gouvernés par deux principes : le désir ins-
tinctif du plaisir et le goût réfléchi du bien. Quand le
premier étouffe le second et se porte vers le plaisir que
promet la beauté corporelle, il s'appelle amour. Or celui
que ce désir possède cherchera dans l'objet de son amour
le plus de plaisir possible, et pour cela il voudra l'asser-
vir à ses caprices et supprimer en lui toute supériorité ; il
le détournera de la philosophie, dans la crainte de devenir
pour lui un objet de mépris, et le maintiendra dans l'ignorance pour le forcer à n'avoir d'yeux que pour lui. Nuisible à l'âme de celui qu'il aime, l'amant est également
nuisible à son corps : ce qui lui plaît c'est un corps délicat, efféminé, étranger aux mâles travaux. Il nuit aussi à
ses intérêts : pour l'avoir tout à lui, il le voudrait sans
parents, sans fortune, sans femme ni enfants. Il lui est
insupportable par ses assiduités, que la différence d'âge
rend plus importunes encore. Enfin, quand sa passion
s'éteindra, il se montrera sans foi, et le bien-aimé s'aper-
cevra avec indignation qu'il s'était abandonné à un maître
perfide, incommode, jaloux, nuisible à sa fortune, à sa
santé, au perfectionnement de son âme, qui est la chose
la plus précieuse que l'homme possède.

— Ton discours n'est pas fini, dit Phèdre : tu n'as
pas parlé de l'homme sans amour. — Je me bornerai à
dire, reprend Socrate, qu'on trouve dans le commerce
de l'homme sans amour autant d'avantages qu'il y a
d'inconvénients dans celui de l'amant.

Là-dessus Socrate veut repasser l'Ilissos ; mais il a
senti le signal divin qui l'arrête au moment de prendre
quelque résolution. Nous avons, dit-il, offensé Eros ;
il faut expier ce sacrilège et lui offrir une palinodie pour
apaiser sa colère. Phèdre est enchanté d'entendre un
nouveau discours.

— Non, dit Socrate, il ne faut pas dédaigner un
amant passionné, sous prétexte qu'il est en délire. Car
le délire, quand il est envoyé par les dieux, nous procure
les plus grands biens, témoin le délire qui inspire l'art
augural, les rites expiatoires et la poésie. Il y a une
quatrième espèce de délire, la plus divine, celle de
l'amour. Mais pour prouver que l'amour est le plus

grand des biens, il faut d'abord déterminer la nature de l'âme humaine.

Toute âme est immortelle; car l'essence de l'âme est la puissance de se mouvoir elle-même, et tout ce qui se meut soi-même, étant principe de mouvement, n'a ni commencement ni fin. Pour faire comprendre sa nature, on peut l'assimiler à l'assemblage que formeraient un cocher et un attelage de deux chevaux, l'un généreux et docile, l'autre brutal et insoumis. Mais comment y a-t-il des êtres mortels et des êtres immortels? L'âme universelle fait le tour de l'univers, en se manifestant sous mille formes. Quand elle est parfaite et ailée, elle plane au haut des cieux et gouverne l'ordre universel; quand elle a perdu ses ailes, elle roule dans les espaces jusqu'à ce qu'elle s'attache à un corps, lui communique sa force et forme avec lui un être mortel. Quant aux êtres immortels, nous savons qu'ils sont, mais nous ne les connaissons pas et n'en pouvons rien dire. Les âmes divines, qui se nourrissent d'intelligence et de science sans mélange, montent au point le plus élevé de la voûte des cieux, pour goûter les délices du banquet divin; elles la franchissent et s'arrêtent sur sa convexité; là est le séjour des essences, de la justice en soi, de la sagesse en soi, de la science parfaite. Les dieux les contemplent et s'en rassasient jusqu'à ce que le mouvement circulaire qui les emporte les ramène au point d'où ils étaient partis. Les autres âmes s'efforcent de suivre le cortège des dieux : les unes réussissent, malgré la turbulence du cheval indocile, à monter de l'autre côté du ciel et à jouir quelques instants de la vue des essences; mais beaucoup, entraînées par leur attelage mal apparié, retombent les unes sur les autres, se froissent, perdent leurs ailes, et, n'ayant pu voir l'absolu, sont réduites à se repaître des conjectures de l'opinion. Quand elles ne peuvent plus suivre les dieux, les âmes s'abattent sur la terre et y subissent un exil de dix mille ans, réduit à trois mille ans pour les âmes des philosophes. Après le premier millénaire, les âmes sont appelées à un nouveau partage des conditions; mais elles ne peuvent entrer dans le corps d'un homme que si elles ont entrevu jadis la vérité dans le ciel. L'homme en effet doit comprendre le général, c'est-à-dire s'élever de la multiplicité des sensations à l'unité rationnelle; or cette faculté n'est autre chose que le ressouvenir de ce que notre âme a vu, quand elle contemplait l'être véritable, à la suite de l'âme divine.

C'est pour cela qu'il est juste que l'âme du philosophe ait seule des ailes; car elle s'attache aux essences.

Entre toutes les essences il en est une qui brillait d'un éclat particulier : c'est celle de la beauté; c'est aussi celle dont le souvenir s'éveille le plus facilement à la vue des beautés d'ici-bas. Il est vrai que beaucoup d'âmes corrompues ont oublié la beauté idéale : à celles-là la contemplation des beautés terrestres n'inspire qu'un désir brutal; mais l'âme qui a jadis été initiée à la beauté absolue, et qui en a conservé un souvenir distinct, ressent devant la beauté terrestre la terreur religieuse qu'elle a éprouvée autrefois; elle la vénère comme un dieu, nage dans la joie en sa présence, se tourmente en son absence et sacrifie tout pour la suivre et la contempler.

Chaque homme honore et imite dans sa vie le dieu dont il suivait le cortège dans le ciel et se choisit un amour selon son caractère : les suivants de Zeus recherchent une âme qui ait le goût de la sagesse et du commandement, ceux de Hera une âme royale, et chacun en général une âme où il retrouve les attributs de son dieu. C'est par là que l'amour exerce une influence heureuse sur l'amant et sur l'aimé : l'amant, excité par l'enthousiasme, se perfectionne sur son divin modèle, et il ne cesse de persuader à son bien-aimé d'en faire autant.

Mais comment l'amour naît-il dans l'âme de l'aimé ? C'est que le courant des émanations que sa beauté dégage revient de l'amant sur lui et le dispose à aimer; il ressent une affection qui est comme l'image de l'amour qu'on a pour lui. Si la sagesse l'emporte sur les désirs des amants, ils vivent pour la vertu, et, à leur mort, ils en sont récompensés par un bonheur divin; s'ils ont au contraire la faiblesse de céder au plaisir, ils n'en restent pas moins unis, et quoique à leur mort leurs âmes restent sans ailes ils sont réservés à une vie heureuse et brillante.

Phèdre admire la beauté de ce discours et craint que son ami Lysias ne puisse ou ne veuille à son tour composer sa palinodie et affronter la comparaison avec Socrate. D'ailleurs un homme d'Etat a tout dernièrement fait honte à Lysias de composer des discours et l'a traité dédaigneusement de logographe. — Mais, dit Socrate, l'homme d'Etat lui-même ne compose-t-il pas des discours ? Ce n'est pas à écrire des discours qu'il y a de la honte, c'est à en écrire de mauvais. Si tu veux, nous allons examiner ce qui fait un bon ou un mauvais discours. Ne faut-il pas d'abord connaître la vérité s.

le sujet qu'on veut traiter? — J'ai entendu dire, Socrate, que la connaissance de la vérité n'est pas nécessaire à l'orateur, que la vraisemblance lui suffit. — Mais s'il ignore la vérité sur le bien et le mal, il s'expose à conduire le peuple dans des voies mauvaises, et s'il prétend fonder l'art de la persuasion sur autre chose que la vérité, il se leurre. Car, même pour tromper les auditeurs, il faut leur présenter les choses comme vraies, et pour les rapprocher ainsi de la vérité, il faut la connaître. Prenons nos exemples dans les discours de Lysias et dans les miens. L'amour étant matière à discussion, il fallait d'abord le définir. C'est ce que Lysias n'a pas fait. Il a commencé par où il aurait dû finir, et jeté ses arguments dans un pêle-mêle dérisoire. Qu'avons-nous fait nous-même? Nous avons mis en œuvre deux procédés : la définition et la division du sujet. J'appelle dialecticiens ceux qui appliquent ces deux procédés. Les rhéteurs font grand bruit de leurs artifices : exorde, narration, dépositions, preuve, présomptions, etc.; mais ce qu'ils enseignent par là, ce sont les notions préliminaires de l'art; ils oublient d'enseigner l'essentiel, l'art de disposer tous ses moyens en vue de la persuasion. Pour acquérir l'art véritable, il faut faire comme Périclès, il faut étudier la philosophie sans laquelle on ne saurait avoir l'esprit élevé ni se perfectionner dans aucune science. Il faut surtout étudier la nature de l'âme, qu'on ne peut d'ailleurs connaître sans connaître la nature universelle. Il faut savoir si elle est une substance simple ou composée, décrire ses facultés et les diverses manières dont elle peut être affectée; enfin, après avoir fait une classification des différentes espèces d'âmes et de discours, il faut apprendre à agir sur les âmes, en appropriant chaque genre d'éloquence à chaque auditoire, certains discours étant propres à persuader certains esprits, et n'ayant aucune action sur les autres. L'art oratoire est une œuvre immense et qui exige un prodigieux labeur, et, si l'homme s'y soumet, ce ne sera pas pour plaire aux hommes, mais aux dieux.

Quant à la convenance qu'il peut y avoir à écrire ou à ne pas écrire, disons d'abord que l'écriture, comme le roi Thamous le dit à son inventeur, le dieu Theuth, favorise la paresse, et n'est en réalité qu'un mémento qui rappelle les choses à celui qui les sait. En outre le discours écrit n'est pas vivant, il ne peut répondre aux questions qu'on lui fait. Il y a un autre discours, celui qui vit dans l'âme de l'homme qui sait, qui se reproduit

dans les autres âmes et propage ainsi éternellement
la semence de la science. Un sage ne doit écrire que
pour la vérité; mais il doit préférer, pour la faire connaître
et la défendre, la parole vivante à la parole écrite. C'est
un idéal que Lysias n'a pas visé, mais qu'Isocrate réalisera
peut-être.

LA COMPOSITION

On le voit par l'analyse que nous venons de faire,
l'objet de l'ouvrage est complexe. Il semble d'abord
qu'il y ait deux sujets distincts : une sorte de traité
de l'amour, puis un traité de rhétorique. C'est *le Banquet*
et *le Gorgias* réunis. Les discours dont la première partie
se compose sont le prétexte d'une discussion sur l'art
oratoire et fournissent des exemples des défauts qu'il
faut éviter et des qualités qu'il faut poursuivre. Ce n'est
là qu'un lien apparent, et, si les deux parties n'avaient
entre elles que ce rapport, on pourrait dire que l'ouvrage
est double et mal composé. Mais il y a un rapport naturel
entre les deux parties, et ce sont des raisons profondes
qui en ont réglé l'assemblage. Platon, impatienté de
l'ascendant que les rhéteurs avaient pris à Athènes, se
donne pour tâche de détromper la jeunesse qui suivait
leurs leçons. Il leur reproche de fonder l'art de la parole,
non sur la vérité, mais sur la vraisemblance, et de ne
voir que le succès, sans s'inquiéter de l'honnêteté des
moyens et du but. Ils sont fiers d'avoir inventé des
noms pour désigner chaque partie du discours, exorde,
preuve, confirmation, etc.; mais ils oublient d'apprendre
à leurs disciples ce qu'il faut mettre dans chacun de ces
cadres. La philosophie seule est capable de le faire
convenablement. Sans une haute culture philosophique,
l'orateur est condamné à ramper et à suivre la routine
des rhéteurs; jamais il ne s'élèvera au-dessus des questions
qu'il traite et ne les dominera : il ne sera qu'un Tisias
ou un Lysias, il ne sera pas un Périclès. Ce qui a fait
la grandeur de Périclès, c'est l'habitude des spéculations
philosophiques qu'Anaxagore lui avait donnée. Quiconque aura l'ambition d'être un grand orateur devra
donc être un philosophe. Il devra sentir en son cœur
l'amour, principe des belles connaissances, qui s'élève
des beautés terrestres jusqu'aux beautés véritables,
jusqu'aux Idées. Celui qui ne sent point en lui cet aiguillon divin est condamné aux grossiers plaisirs et aux

ténèbres de l'esprit ; celui que l'amour tourmente consacrera sa vie à retrouver les vérités que son âme a entrevues jadis et dont elle a gardé l'éblouissement ; il s'adonnera à la dialectique, c'est-à-dire à la recherche et à la discussion méthodique de la vérité, seul moyen que nous ayons ici-bas de nous élever jusqu'aux Idées. Quand par l'amour et la dialectique il sera parvenu à la connaissance du vrai, du beau et du bien, il sera l'orateur parfait, celui qui sème et fait fructifier la vérité et la science dans les âmes de ses auditeurs.

On voit à présent ce qui fait l'unité du *Phèdre*. La théorie de l'amour est au fond de la doctrine platonicienne : nul ne sera philosophe s'il n'a reçu le don divin de l'amour, aiguillon de la recherche philosophique, et s'il ne poursuit la vérité suivant la seule méthode qui mène jusqu'à elle, la dialectique ; or nul ne sera un grand orateur s'il n'est philosophe. Si la philosophie et l'art se confondent ou tout au moins se conditionnent, c'est dans la partie philosophique de l'œuvre qu'il faut chercher les principes que Platon met à la base de l'art oratoire. Ainsi le centre de l'ouvrage est la palinodie ; ce magnifique exposé des doctrines platoniciennes semblait déjà aux anciens la partie essentielle, si l'on en juge par les sous-titres *Du Beau, De l'Ame*, que portent les manuscrits. Les deux discours qui précèdent la palinodie ne sont que des spécimens du genre sophistique et une sorte d'introduction à la vraie doctrine de l'amour ; enfin la deuxième partie est la critique des procédés en vogue et l'établissement des règles oratoires qui résultent de la doctrine philosophique. Ainsi se justifie la composition du *Phèdre* ; elle se conforme à la manière ordinaire de Platon. Ses dialogues semblent avoir été composés au hasard de l'improvisation ; au premier abord la marche en paraît réglée sur les écarts d'une verve intarissable et sur les caprices d'une conversation sans apprêt ; mais à la réflexion tout paraît calculé par un puissant esprit qui rattache toutes les questions particulières aux idées les plus générales, et qui dans chaque discussion jette dans la balance tout le poids de son système philosophique.

LES QUALITÉS LITTÉRAIRES

Cette manière de composer prête aux dialogues de Platon un air de naturel inimitable. Le charme en est

encore augmenté dans le *Phèdre* par l'enjouement et le
badinage des interlocuteurs, par l'ironie légère, par le
détail précis et gracieux qui crée la vraisemblance et
charme l'imagination, par l'aisance avec laquelle Socrate
passe de la familiarité de la conversation à la sublimité
de la poésie. Rien n'égale la magnificence du style de la
palinodie. Jamais poète n'a peint les spectacles qui
frappent les yeux avec la splendeur dont Platon a revêtu
les idées les plus abstraites. Aucun tableau d'Homère
ne dépasse en grandeur la peinture des majestueuses
évolutions des dieux emportés par le mouvement du
ciel, ou de la mêlée des âmes qui s'élancent vers les Idées
et retombent les unes sur les autres en se froissant et
s'estropiant dans leur chute. La force de l'imagination
est telle chez Platon qu'il crée des mythes, comme l'ont
fait les poètes primitifs. Il assimile l'âme humaine à un
assemblage formé d'un cocher et de deux chevaux, et il
conte l'aventure amoureuse du trio avec tant de naturel
et de force qu'on oublie l'allégorie et qu'on s'intéresse
à chacune de ces trois entités aussi vivement que si
elles étaient de vraies personnes.

LES CARACTÈRES

La même force créatrice se retrouve dans les caractères.
Le dessin des caractères est généralement le point faible
des dialogues écrits par des philosophes : leurs porte-
parole n'ont ni forme, ni couleur, ni sensibilité, ni
volonté; X ou Y est le nom qui leur convient. Chez
Platon au contraire chaque personnage a sa physionomie
propre, et leur caractère se révèle à chaque pas dans le
ton, l'accent, le sentiment qui accompagnent leurs
paroles; souvent un mot, un étonnement, un aveu, un
silence même suffit à découvrir le fond de leur âme.

Le *Phèdre* n'a que deux interlocuteurs, Phèdre et
Socrate. Phèdre est un jeune homme selon le cœur de
Socrate. Comme le maître il est passionné pour les
discours, dévoré de l'amour de la science, et les nobles
discussions de la philosophie sont à ses yeux la seule chose
qui donne du prix à l'existence. Son humeur vive et
enjouée, sa prompte susceptibilité quand on attaque son
ami Lysias, sa curiosité naïve, son amour de la vérité,
son courage à reconnaître ses erreurs et ses préjugés, son
admiration pour Socrate, son respect mêlé de familiarité,

sa franchise et sa liberté de jugement, tous ces traits
donnent à la physionomie de Phèdre un charme de
jeunesse et de grâce inexprimable.

Mais que dire de l'étonnant, du prodigieux, du divin
Socrate? Ce sont les qualificatifs qui échappent à l'enthousiasme de ses jeunes interlocuteurs. Il faut lire
dans *le Banquet* l'immortel portrait qu'Alcibiade a tracé
de son maître. Tel Alcibiade le peint, tel il se retrouve
ici. Nous le voyons cheminer pieds nus sur les bords de
l'Ilissos, rafraîchissant ses pieds dans le courant, tandis
qu'il admire avec un sentiment exquis les beaux arbres,
l'herbe drue et les eaux transparentes. C'est bien cependant le railleur dont parle Alcibiade; il se moque des
sophistes, des rhéteurs; il se moque même de son jeune
ami Phèdre, mais avec douceur, car il n'aime pas la brutalité, et il le reprend, quand le jeune homme, abondant
trop vivement dans le sens du maître, raille rudement
ceux dont celui-ci réfute les prétentions. C'est aussi le
Silène auquel Alcibiade le compare, le Silène qui en
s'ouvrant laisse voir les plus précieux trésors. Socrate
ouvre son âme, et tout un monde de visions célestes se
révèle à nos yeux éblouis. C'est vraiment de lui qu'on
peut dire qu'il est un dieu tombé qui se souvient des
cieux. Il est comme enivré du souvenir des choses célestes;
pour lui la vie n'a de sens que si elle est occupée à les
ressaisir par l'amour et la dialectique, et le philosophe
qui poursuit le vrai, le beau et le bien est le seul homme
qui se rapproche des dieux. Platon a sans doute idéalisé
Socrate. Il est certain que Socrate ne s'est pas élevé si
haut dans la spéculation philosophique et que Platon lui
fait dire ici des choses auxquelles il n'a jamais pensé;
il n'avait pas non plus sans doute l'imagination grandiose
et la poésie d'expression de son illustre disciple. Il était
certainement plus simple de langage, comme il était
simple d'allures. Mais il était bien l'infatigable semeur qui
faisait lever dans les âmes de ses jeunes auditeurs la
passion des belles connaissances et l'amour de la justice
et de la vertu. Il faut qu'il ait été bien original et bien
grand par l'esprit et par le cœur pour avoir laissé sur
ses disciples une si forte empreinte, et pour avoir inspiré
à Platon une admiration si absolue et un enthousiasme
si fervent et si durable.

LA DATE DU DIALOGUE

Certains critiques anciens, en particulier Olympiodore et Diogène de Laërte, ont prétendu que ce magnifique dialogue était le premier ouvrage de Platon, et la raison qu'ils en donnent, c'est qu'il abuse du style poétique et que l'éclat de l'imagination, des métaphores et des images trahit l'exubérance de la jeunesse. Si cette opinion était juste, il faudrait placer la composition du *Phèdre* à l'époque où le dialogue est censé avoir eu lieu, c'est-à-dire aux environs de l'année ∼ 406, comme on arrive à le conclure de la présence de Lysias, revenu de Thurii en ∼ 411, de la mention de Sophocle et d'Euripide comme vivants (ils moururent en ∼ 406), et d'autres indices encore. Platon aurait eu ainsi de 23 à 24 ans. Comment croire qu'à cet âge et six ans avant la mort de Socrate il eût distancé son maître de si loin et fût en possession de tout le système philosophique qui fait son originalité? Entre le *Phèdre* et les premiers dialogues, écrits sous l'influence de Socrate, le *Lysis*, le *Charmide*, le *Lachès*, le *Ménon*, le *Criton*, etc., la différence est frappante. Dans ces ouvrages Platon expose les doctrines de Socrate et ne s'élève guère au-dessus des préoccupations exclusivement morales de son maître; dans le *Phèdre*, au contraire, il expose sa propre doctrine, la théorie de l'amour, la méthode de la dialectique et le système des Idées. On reconnaît d'ailleurs dans ce système si riche et si complexe certaines idées que Platon n'a pas trouvées à l'école de Socrate, mais qu'il a rapportées de ses voyages. Le récit relatif à l'écriture et à ses inconvénients semble venir tout droit de l'Egypte; la preuve de l'immortalité de l'âme, la vie des âmes avec les dieux, les migrations qu'elles subissent, la supériorité de l'enseignement oral sur l'enseignement écrit sont des idées pythagoriciennes, et c'est aux écoles de la Grande-Grèce et à Philolaos que Platon les a empruntées. On peut conclure de tout cela que Platon n'a pu composer le *Phèdre* qu'après ses voyages en Egypte, en Italie et en Sicile. Mais à quelle époque? Sur ce point l'accord est loin d'être fait. Les uns pensent que Platon a écrit cet ouvrage pour préparer la voie à l'enseignement qu'il se proposait de donner, en opposant à l'art terre à terre des rhéteurs en vogue la sublime grandeur de la philosophie et la supériorité de la méthode dialectique. Mais il est beaucoup plus vraisemblable que, s'il a eu ce dessein, c'est au *Gorgias* qu'il faut le rapporter. Ainsi est-on porté aujourd'hui à reculer beaucoup plus tard la composition du *Phèdre*. Wilamowitz et Léon Robin la placent après *le Banquet* et *la République*. On sait que Phèdre, au début du *Banquet*, se plaint que ni poètes ni sophistes n'aient jamais songé à faire l'éloge de l'Amour. Si le *Phèdre*, où l'Amour est célébré si magnifiquement, avait paru avant *le Banquet*, la plainte de Phèdre serait inexplicable. Il faut donc accorder la priorité au *Banquet*.

D'autre part, l'étonnement que marque Glaucon au Xe livre de *la République*, quand Socrate avance que l'âme est immortelle, suppose que ni le *Phédon*, ni le *Phèdre* n'avaient encore paru; car le premier tout entier est consacré à la démonstration de l'immortalité, et la preuve qui en est donnée dans le *Phèdre* est célèbre. Il ne reste donc qu'à déterminer lequel des deux ouvrages, le *Phédon* ou le *Phèdre*, a précédé l'autre. Il semble bien que ce soit le *Phédon*.

En voici une première raison. Lorsque, dans le *Phédon*, Socrate a exposé toutes ses preuves, Simmias avoue qu'il ne peut s'empêcher de garder quelque défiance à l'égard de la thèse soutenue par Socrate, et Socrate lui répond : « Non seulement ce que tu dis là, Simmias, est fort bien dit, mais quelque sûres que soient nos premières hypothèses, il n'en faut pas moins les soumettre à un examen plus approfondi. » Platon a repris en effet cet examen dans le *Phèdre* et il a fondé dans cet ouvrage l'immortalité de l'âme sur le principe du mouvement, et cette preuve lui a paru si concluante qu'il l'a reprise encore dans le *Timée* et dans *les Lois*.

D'autre part, le *Phèdre* présente de remarquables ressemblances avec les dialogues de la troisième période, en particulier avec le *Théétète*. Léon Robin les a mises en évidence dans son Introduction au *Phédon* (p. v-ix), et il en a conclu que la place la plus vraisemblable du *Phèdre* est avant le *Théétète*. Sa conclusion me paraît très plausible. Où je ne suis pas d'accord avec lui, c'est sur la place du *Phédon*, que je mets après *la République* et avant le *Phèdre*. Pour d'autres raisons, qui d'ailleurs confirment la mienne, Mme Tarrant, dans son édition de l'*Hippias majeur*, place, ainsi que moi, le *Phédon* après *la République*.

PHÈDRE

[ou **De la Beauté**; *genre moral*]

Interlocuteurs du dialogue
SOCRATE ET PHÈDRE

SOCRATE

I. — Mon cher Phèdre, où vas-tu donc, et d'où viens-tu ?

PHÈDRE

De chez Lysias, fils de Céphale, Socrate, et je vais me promener hors des murs ; car je suis resté longtemps chez lui, toujours assis depuis le matin, et suivant les prescriptions d'Acoumène [72], ton ami et le mien, je fais mes promenades sur les routes ; car il prétend qu'on s'y délasse mieux que dans les galeries couvertes.

SOCRATE

Il a raison, mon ami ; mais Lysias, à ce qu'il paraît, était en ville [73] ?

PHÈDRE

Oui, chez Epicrate [74], dans cette maison qui avoisine le temple de Zeus Olympien, la Morychienne [75].

SOCRATE

Et à quoi avez-vous passé le temps ? Sans doute Lysias vous a régalé de ses discours ?

PHÈDRE

Tu le sauras, si tu as le temps de m'accompagner et de m'écouter.

SOCRATE

Comment dis-tu ? Tu penses bien, pour parler comme Pindare [76], que je mets le plaisir d'entendre ton entretien avec Lysias au-dessus de toute affaire.

PHÈDRE
Avance donc.

SOCRATE

Parle.

PHÈDRE

Justement, Socrate, c'est un sujet qui t'intéresse; car il s'est trouvé, je ne sais comment, que l'entretien avait trait à l'amour. Lysias a précisément écrit une tentative de séduction faite sur un joli garçon, mais non par un amant; car il soutient — et c'est là qu'est l'ingéniosité — qu'il faut accorder ses faveurs à celui qui n'aime pas plutôt qu'à celui qui aime.

SOCRATE

Oh! la belle âme! il aurait bien dû écrire qu'il faut donner ses faveurs à la pauvreté plutôt qu'à la richesse, à la vieillesse plutôt qu'à la jeunesse et à tous les autres genres de disgrâce qui sont mon partage et celui de la plupart des hommes. Ce seraient là des discours vraiment civils [77] et démocratiques [78]. Pour moi, je me sens une telle envie de t'entendre que, dusses-tu aller à pied jusqu'à Mégare [79] et, selon la méthode d'Hérodicos [80], aller au mur et en repartir, je ne resterais pas en arrière.

PHÈDRE

Que dis-tu, excellent Socrate? Tu me crois capable de réciter un discours que Lysias a composé en prenant son temps, à tête reposée, lui qui est le plus habile écrivain de nos jours, de le réciter de mémoire, moi profane, d'une manière digne de lui! Tant s'en faut que j'aie ce talent! et pourtant je le préférerais à tout l'or du monde.

SOCRATE

II. — O Phèdre, si je ne connais pas Phèdre, je ne me connais plus moi-même; mais je connais l'un et l'autre, et je suis sûr qu'en entendant un discours de Lysias mon homme ne s'est pas contenté de l'entendre une fois, mais qu'à plusieurs reprises il l'a prié de le répéter et que l'autre s'y est prêté complaisamment. Cela même ne lui a pas suffi; il a fini par prendre le cahier et s'est mis à repasser les endroits qui lui tenaient le plus à cœur, et il est resté assis depuis le matin, attaché à cette étude, jusqu'au moment où, la fatigue venue, il est sorti pour se promener; mais il savait déjà le discours par cœur, j'en jurerais par

le chien, à moins qu'il ne soit d'une longueur démesurée,
et il s'en allait hors des murs pour le déclamer; mais
rencontrant un homme qui a pour les discours une passion
maladive, il s'est réjoui de le voir, espérant avoir quelqu'un pour partager ses transports, et il lui a dit de l'accompagner; puis, comme l'amateur de discours le priait
de parler, il a fait des façons, comme s'il ne s'en souciait
point, et à la fin, si on n'eût pas voulu l'entendre, il
allait s'imposer. Prie-le donc, Phèdre, de faire dès à
présent ce que de toute façon il fera tout à l'heure.

PHÈDRE

Je vois bien que réellement le meilleur parti pour moi,
et de beaucoup, c'est de redire le discours comme je
pourrai; car tu ne me parais pas homme à me laisser
aller que je n'aie parlé d'une manière ou d'une autre.

SOCRATE

Effectivement, tu ne te trompes pas.

PHÈDRE

III. — Je vais donc parler comme je pourrai; car
véritablement, Socrate, je puis t'assurer que je n'ai pas
appris le texte par cœur; mais je tiens à peu près le
sens de toutes les distinctions qu'il a faites entre le cas
de l'amant et le cas de l'homme sans amour, et je vais
te rapporter sommairement et dans leur ordre chacune
d'elles en commençant par la première.

SOCRATE

Oui, mon amour, mais quand tu m'auras montré ce
que tu tiens dans ta main gauche sous ton manteau;
car je soupçonne que c'est le discours lui-même; si c'est
lui, mets-toi bien dans la tête que, malgré mon amitié
pour toi, je ne me prêterai pas à te servir de matière à
exercice, quand nous avons ici Lysias lui-même : c'est
une chose bien décidée. Mais voyons, montre-moi cela.

PHÈDRE

Assez raillé, Socrate; tu m'as ôté l'espoir que j'avais
de m'exercer à tes dépens; mais où veux-tu que nous
allions nous asseoir pour faire cette lecture?

SOCRATE

Tournons par ici et descendons l'Ilissos; nous nous
assoirons tranquillement à l'endroit qui nous plaira.

PHÈDRE

J'ai bien fait, je vois, de venir pieds nus; pour toi, tu l'es toujours; ainsi nous pourrons très bien entrer dans l'eau et nous baigner les pieds, ce qui ne sera pas désagréable, surtout en cette saison et à cette heure.

SOCRATE

Avance donc, et cherche en même temps un endroit pour nous asseoir.

PHÈDRE

Vois-tu là-bas ce platane si élevé?

SOCRATE

Eh bien!

PHÈDRE

Il y a là de l'ombre, une brise légère et du gazon pour nous asseoir, ou, si nous voulons, pour nous coucher.

SOCRATE

Avance donc.

PHÈDRE

Dis-moi, Socrate, n'est-ce pas ici près, au bord de l'Ilissos, que Borée enleva, dit-on, Orythye [81]?

SOCRATE

On le dit.

PHÈDRE

N'est-ce donc pas ici? Ce mince courant paraît si charmant, si pur, si transparent, et ses bords sont si propices aux ébats des jeunes filles!

SOCRATE

Non, c'est plus bas, à quelque deux ou trois stades, là où l'on passe l'eau pour aller au temple d'Agra [82]; il y a à cet endroit même un autel de Borée.

PHÈDRE

Je ne l'ai jamais remarqué; mais, au nom de Zeus, dis-moi, Socrate, crois-tu, toi, que cette aventure mythologique soit véritablement arrivée?

SOCRATE

IV. — Mais si j'en doutais, comme les sages [83], il n'y aurait pas lieu de s'en étonner; je subtiliserais comme

eux, je dirais que le souffle de Borée la précipita du haut
des rochers voisins, où elle jouait avec Pharmacée [84]
et qu'étant morte de cette chute elle passa pour avoir été
enlevée par Borée, soit d'ici, soit de l'Aréopage; car il
y a une autre tradition suivant laquelle c'est là, non ici,
qu'elle fut enlevée. Pour moi, Phèdre, je trouve ces explications intéressantes, mais elles exigent trop d'ingéniosité
et trop de peine, et vous ôtent à jamais la paix de l'existence, par la simple raison qu'il faut après cela expliquer
la forme des Hippocentaures, et puis celle de la Chimère;
puis c'est une avalanche d'êtres du même genre, Gorgones
et Pégases, et des multitudes étranges de créatures inconce-
vables et monstrueuses. Qu'un incrédule, appliquant les
procédés d'une sagesse vulgaire, essaye de réduire à la
vraisemblance chacun de ces prodiges, il lui faudra bien
du loisir. Quant à moi, je n'en ai pas du tout pour ces
recherches, et la raison, mon ami, c'est que je n'ai pas
pu encore me connaître moi-même, comme le commande
l'inscription de Delphes, et qu'il me semble ridicule
que, m'ignorant moi-même, je cherche à connaître des
choses étrangères. C'est pourquoi je laisse de côté toutes
ces histoires et je m'en rapporte là-dessus à la croyance
commune; et, comme je l'ai dit tout à l'heure, au lieu
d'examiner ces phénomènes, je m'examine moi-même;
je veux savoir si je suis un monstre plus compliqué et
plus aveugle que Typhon [85], ou un être plus doux et
plus simple et qui tient de la nature une part de lumière
et de divinité. Mais à propos, mon ami, ne sommes-
nous pas arrivés à l'arbre où tu nous conduisais?

PHÈDRE

Oui, c'est bien lui.

SOCRATE

V. — Par Héra! le charmant asile! Ce platane est d'une
largeur et d'une hauteur étonnantes [86]. Ce gattilier si
élancé fournit une ombre délicieuse, et il est en pleine
floraison, si bien que l'endroit en est tout embaumé; et
puis voici sous le platane une source fort agréable, si
m'en rapporte à mes pieds; elle doit être consacrée à des
nymphes et à Achéloüs, à en juger par ces figurines et
ces offrandes. Remarque en outre comme la brise est ici
douce et bonne à respirer; elle accompagne de son harmonieux chant d'été le chœur des cigales; mais ce qu'il

y a de mieux, c'est ce gazon en pente douce qui est à
point pour qu'on s'y couche et qu'on y appuie confor-
tablement sa tête. Tu serais un guide excellent pour les
étrangers, mon cher Phèdre.

PHÈDRE

Et toi, étonnant ami, tu es un grand original. On dirait
vraiment que tu es, pour reprendre ton mot, un étranger
qu'il faut guider et que tu n'es pas d'ici. Tu es si casanier
que tu n'as jamais franchi la frontière et il semble bien
que tu n'es jamais sorti des murs.

SOCRATE

Passe-moi cette originalité, mon bon ami : c'est le
désir de m'instruire qui en est cause; car ni les champs
ni les arbres ne veulent rien m'apprendre, mais bien les
hommes qui sont dans la ville. Mais toi, tu as trouvé, ce
me semble, le moyen de m'en faire sortir; car comme on
se fait suivre d'animaux affamés en agitant devant eux
une branche ou un fruit, ainsi toi, tu n'as qu'à me
présenter des cahiers de discours pour me faire faire, je
crois, tout le tour de l'Attique et me mener partout où il
te plaira. Mais pour le moment, comme je suis arrivé,
je crois que je ferai bien de me coucher sur l'herbe; pour
toi, prends la position qui te paraît la plus commode pour
faire la lecture, et commence.

PHÈDRE

Écoute donc.

VI. — « Tu connais mes sentiments [87] : j'estime, je te
l'ai dit, qu'il est de notre intérêt à tous deux que tu
écoutes mes propositions, et je soutiens qu'il n'est pas
juste de me refuser ce que je demande par la raison que
je ne suis pas ton amant, car les amants regrettent le
bien qu'ils ont fait, quand leur désir est éteint, tandis
que ceux qui n'ont point d'amour n'ont jamais lieu de se
repentir; car ce n'est point sous la contrainte de la passion, mais volontairement, et en ménageant sagement
leurs intérêts, sans dépasser la limite de leurs ressources,
qu'ils font du bien à leur ami. En outre les amants
repassent dans leur esprit les dommages que l'amour leur
a causés dans leurs affaires et les libéralités qu'ils ont
faites, et, y ajoutant la peine qu'ils ont eue, ils jugent
qu'ils ont depuis longtemps payé le prix des faveurs
obtenues. Au contraire ceux qui ne sont pas épris ne

peuvent ni prétexter leurs affaires négligées à cause de
l'amour, ni mettre en ligne de compte leurs peines passées, ni alléguer les tracasseries de leurs parents, de sorte
que, exempts de tous ces ennuis, ils n'ont plus qu'à
s'empresser de faire tout ce qu'ils croient devoir plaire à
leur bien-aimé. Mais il faut, dira-t-on, faire cas des
amants parce que, si on les en croit, ils sentent la plus
grande tendresse pour ceux dont ils sont épris et parce
qu'ils sont prêts, au risque de s'attirer la haine d'autrui,
à tout dire et à tout faire pour leur être agréables ; mais
il est facile de reconnaître qu'ils ne disent pas la vérité ; car
s'ils viennent à en aimer un autre, ils lui sacrifient le
premier, et, si le nouvel élu de leur cœur le demande, ils
vont jusqu'à lui faire du mal. En vérité, convient-il d'accorder une telle faveur à un homme affligé d'un tel mal
que personne, si habile fût-il, n'oserait tenter de le guérir ;
et en effet les amants avouent eux-mêmes qu'ils sont
malades plutôt que sains d'esprit et qu'ils ont conscience
de leur mauvais sens, mais qu'ils ne sont pas maîtres
d'eux-mêmes. Aussi, rentrés dans leur bon sens, comment pourraient-ils approuver les actes que leur folie
leur a inspirés ? Et puis, si, parmi les amants, tu veux
choisir le meilleur, ton choix se limite à un petit nombre ;
au lieu que si tu cherches parmi tous les autres celui qui
te convient le mieux, tu en rencontres une foule, et dans
une foule ta chance est beaucoup plus grande de trouver
quelqu'un digne de ton affection.

VII. — D'autre part si tu crains l'opinion établie et la
honte d'un scandale public, songe qu'il est naturel que
les amants, impatients de faire envier leur bonheur,
comme ils le jugent eux-mêmes digne d'envie, se
laissent aller à parler et à publier partout glorieusement
qu'ils n'ont point perdu leur peine ; au contraire, ceux
qui n'aiment pas, restant maîtres d'eux-mêmes, préfèrent
le solide avantage de la jouissance au plaisir de faire
parler d'eux. En outre les relations des amants sont forcément connues de beaucoup de gens ; on les voit accompagner ceux qu'ils aiment, et y mettre tant d'empressement que, quand on les voit causer ensemble, on ne
manque pas de penser que, s'ils sont réunis, c'est qu'ils
viennent d'assouvir ou qu'ils vont assouvir leur passion.
Mais si vous n'aimez pas, on n'essaye pas non plus d'in-
criminer vos relations ; car on sait qu'il faut bien admettre
qu'on se parle par amitié ou par tout autre besoin de
distraction. Si quelque autre appréhension t'assaille à la

pensée que l'amitié est naturellement fragile, qu'un motif quelconque peut amener une brouille préjudiciable à tous deux, mais désastreuse pour toi qui as sacrifié ce que tu avais de plus précieux, c'est surtout des amants que tu feras bien de te méfier. Les motifs de chagrin ne leur manquent pas; à les en croire, on ne fait rien que pour leur nuire. Aussi cherchent-ils à empêcher ceux qu'ils aiment de se lier avec d'autres; ils craignent les riches, qui pourraient les éclipser par leur fortune; ils craignent les gens instruits qui pourraient les surpasser en intelligence, et ils se méfient de tous ceux qui ont quelque supériorité. Ils t'amènent à te brouiller avec eux, et te réduisent ainsi, en fait d'amis, à une entière disette; mais si, considérant tes intérêts, tu montres plus de sagesse qu'eux, tu en viendras à une rupture. Au contraire ceux qui sans amour en sont venus à leurs fins par leur mérite ne sont point jaloux des familiers de leur ami; ils prendraient plutôt en haine ceux qui refuseraient de les fréquenter, imputant leur refus au mépris, et se sentant obligés à ceux qui le fréquentent. Leur commerce a donc beaucoup plus de chance de tourner à l'amitié qu'à la haine.

VIII. — Au reste, parmi les amants, beaucoup s'éprennent de la beauté physique avant de connaître le caractère de celui qu'ils désirent et d'être renseignés sur sa valeur personnelle; aussi ne peut-on savoir s'ils resteront amis du bien-aimé quand ils auront apaisé leur désir. Il n'en est pas de même avec ceux qui n'aiment pas d'amour; comme ils sont déjà liés par l'amitié avant tout commerce des sens, il n'est pas vraisemblable que le plaisir goûté amoindrisse leur amitié, mais bien plutôt qu'il soit un gage des plaisirs à venir.

Veux-tu devenir meilleur? Fie-toi à moi plutôt qu'à un amant; car un amant n'hésite pas à choquer la raison en louant tes paroles et tes actes, soit parce qu'il craint de te déplaire, soit parce que la passion lui fausse le jugement. Car tels sont les effets que produit l'amour : aux yeux des amants malheureux il fait paraître fâcheuses des choses qui laissent les autres indifférents, et il force les amants heureux à louer des choses qui n'en valent pas la peine; aussi est-ce la pitié, non l'envie que l'homme aimé doit inspirer. Si au contraire tu veux bien m'écouter, tout d'abord ce ne sera pas·la seule volupté du moment que je poursuivrai dans notre intimité, mais aussi ton intérêt à venir. Insensible à l'amour et maître de moi-même, je ne me fâcherai pas violemment pour des bagatelles ; même des raisons graves n'exciteront que lentement et faiblement mon dépit ; j'excuserai les torts involontaires et je m'efforcerai de prévenir les offenses voulues : ce sont là les marques d'une amitié destinée à durer. Si tu viens à penser qu'il n'y a point d'amitié solide où il n'y a point d'amour, réfléchis qu'à ce compte nous ne tiendrions guère à nos fils, à notre père, à notre mère, et que nous n'aurions pas d'amis fidèles, à moins qu'ils ne nous fussent venus par l'amour, à l'exclusion de toute autre liaison.

IX. — En outre, s'il faut accorder ses faveurs à ceux qui les sollicitent avec le plus d'insistance, il est logique aussi en toute circonstance d'obliger, non les plus dignes, mais les plus indigents ; plus grands sont les maux dont tu les délivres, plus grande sera leur reconnaissance. Alors il faudra aussi, quand tu donnes un repas, y inviter, non tes amis, mais les mendiants et les meurt-de-faim : ce sont ceux-là qui te chériront, qui te feront escorte, qui viendront à ta porte, qui seront les plus contents et les plus reconnaissants et qui formeront des vœux sans nombre en ta faveur. Mais peut-être convient-il de favoriser, non ceux qui te sollicitent ardemment, mais ceux qui sont le plus à même de témoigner leur reconnaissance, non pas seulement ceux qui te sollicitent, mais ceux qui sont dignes de tes faveurs, non pas ceux qui veulent jouir de ta beauté, mais ceux qui dans ta vieillesse te feront part de leurs biens, non ceux qui se vanteront partout de leur succès, mais ceux qui auraient honte d'en rien dire à personne, non ceux dont l'empressement est éphémère, mais ceux dont l'amitié inaltérable ne finira qu'avec la vie, non ceux qui, en sentant leur désir s'apaiser, chercheront un prétexte de rupture, mais ceux qui après le déclin de ta beauté feront voir leur générosité. Souviens-toi donc de mes paroles, et songe que les amants s'entendent reprocher leur amour comme un vice par leurs amis, tandis que ceux qui ne sont pas épris n'ont jamais subi les reproches des leurs pour avoir à cause de l'amour mal calculé leurs intérêts.

Maintenant, tu vas peut-être me demander si je te conseille d'accorder tes faveurs à tous les prétendants sans passion. Je présume qu'un amant ne t'engagerait pas non plus à montrer cette humeur facile à tous les amoureux ; car pour qui raisonnerait juste en recevant tes faveurs, elles n'auraient plus le même prix, et, si tu voulais te cacher des autres, cela ne te serait plus aussi facile. Or il faut que nos relations, loin de nous porter préjudice, nous soient avantageuses à tous deux. Je crois en avoir dit assez; mais si tu as regret à quelque chose que j'aurais omis, interroge-moi. »

X. — Que te semble de ce discours, Socrate? N'est-il pas merveilleux à tous égards, notamment pour le style?

SOCRATE

Divin même, camarade, au point que j'en suis transporté. Il est vrai, Phèdre, que tu en es bien un peu la cause; car je te regardais et je voyais tes yeux briller de plaisir en lisant, et, persuadé que tu es plus expert que moi dans ces matières, je te suivais, et en te suivant je me suis laissé gagner à l'exaltation de ta tête divine.

PHÈDRE

Allons, tu veux rire.

SOCRATE

Rire! Tu crois donc que je ne parle pas sérieusement?

PHÈDRE

Non, Socrate; mais, au nom de Zeus qui préside à l'amitié, dis-moi en toute sincérité, penses-tu qu'il y ait en Grèce un homme capable de traiter le même sujet avec plus de force et d'abondance?

SOCRATE

Quoi? faut-il encore que je loue avec toi l'auteur d'avoir dit ce qu'il fallait dire? Ne suffit-il pas de reconnaître que son style est clair, précis, et qu'il a minutieusement passé au tour chacune de ses expressions? S'il le faut, je le reconnaîtrai pour te faire plaisir; car je dois confesser que le mérite du fond a échappé à mon incapacité. Je n'ai fait attention qu'à l'art oratoire; pour le fond, je ne pensais pas que Lysias lui-même pût en être satisfait. J'ai cru m'apercevoir, Phèdre — peut-être n'en juges-tu pas comme moi — qu'il disait deux ou trois fois la même chose, soit qu'il n'eût pas assez de ressources pour trouver beaucoup à dire sur le même sujet, soit que peut-être il n'en eût pas souci; j'ai cru à une gageure de jeune homme, qui, pour faire parade de son talent, exprimait les mêmes pensées d'une manière, puis d'une autre, et chaque fois avec une égale maîtrise.

PHÈDRE

Tu n'y penses pas, Socrate; le grand mérite de l'auteur est justement qu'il n'a omis aucune des idées que comportait le sujet, de sorte qu'on ne pourrait dire ni plus ni mieux que ce qu'il a dit.

SOCRATE

Sur ce point je ne puis plus être de ton avis; d'anciens sages, des deux sexes, qui ont parlé et écrit sur ce sujet, me convaincraient d'erreur si j'y donnais les mains par complaisance.

PHÈDRE

Qui sont-ils? Où as-tu entendu des discours supérieurs à celui-ci?

SOCRATE

XI. — Je ne peux pas répondre ainsi au pied levé, mais il est certain que j'en ai entendu, soit de la belle Sappho, soit du sage Anacréon, soit même de quelque prosateur. Sur quoi se fonde ma conjecture? C'est, mon bel ami, que mon cœur déborde et que je me sens capable d'affronter la comparaison et de parler autrement et aussi bien. Or je sais bien qu'aucune de ces idées ne vient de moi, car j'ai conscience de mon ignorance. Reste donc sans doute que mes oreilles les ont puisées à d'autres sources, où je m'en suis rempli comme un vase; mais j'ai l'esprit si paresseux que je ne me souviens plus comment ni de qui je les ai reçues.

PHÈDRE

Je suis ravi de ce que tu dis, mon noble ami. Tu peux te dispenser de me dire, en dépit des instances que je pourrais t'en faire, de qui et comment tu les as reçues; mais fais ce que tu viens de dire; engage-toi à prononcer un discours meilleur et non moins étendu que celui du cahier, sans y rien emprunter; et moi, de mon côté, comme les neuf archontes [88], je m'engage à offrir à Delphes ma statue en or de grandeur naturelle et la tienne aussi.

SOCRATE

Tu es trop bon, Phèdre, et tu vaux vraiment ton pesant d'or, si tu crois que je prétends que Lysias s'est trompé du tout au tout et que je peux opposer des choses nouvelles à toutes celles qu'il a dites; une pareille prétention serait insoutenable, même avec l'écrivain le plus médiocre.

Par exemple, sur le sujet qui nous occupe, penses-tu qu'un orateur qui, en soutenant la thèse qu'il faut favoriser l'ami sans amour plutôt que l'amoureux, omettrait de louer la sagesse de l'un, de blâmer la folie de l'autre, choses indispensables à son argumentation, pourrait trouver encore quelque chose à dire ? Pour moi, je pense qu'il faut permettre et pardonner à l'orateur de reprendre ces arguments essentiels, et que ce qu'il faut louer en ce cas, ce n'est pas l'invention, mais la disposition, tandis que, pour les arguments accessoires et difficiles à découvrir, il faut, outre la disposition, louer l'invention.

PHÈDRE

XII. — Je souscris à ta demande, car elle me paraît juste. Je t'accorderai donc le droit de t'appuyer sur ce principe que celui qui aime a l'esprit plus malade que celui qui n'aime pas ; mais, pour le reste, si tu trouves des arguments plus nombreux et plus forts que Lysias, sans l'imiter, je ferai dresser ta statue au marteau, près de l'offrande des Cypsélides [89], à Olympie.

SOCRATE

M'as-tu donc pris au sérieux, Phèdre, parce que, pour te taquiner, j'ai attaqué celui que tu aimes, et penses-tu que je vais réellement essayer de faire un discours plus riche d'idées que le chef-d'œuvre de ton ami ?

PHÈDRE

Ici, mon ami, c'est à mon tour d'avoir prise sur toi. Il faut absolument que tu parles comme tu pourras ; garde-toi de nous faire jouer la scène banale des comédiens qui se renvoient les railleries, et ne me force pas à répéter tes paroles : « O Socrate, si je ne connais pas Socrate, je ne me connais plus moi-même », et « il brûlait d'envie de parler, mais il faisait des façons ». Mais mets-toi bien dans la tête que nous ne partirons pas d'ici que tu n'aies dit ce que tu prétendais avoir dans le cœur. Nous sommes seuls, l'endroit est solitaire, et je suis le plus fort et le plus jeune : à bon entendeur, salut ; n'attends pas qu'on te contraigne, parle de plein gré.

SOCRATE

Mais, mon bon ami, ce serait ridicule à moi d'opposer, sur le même sujet, l'impromptu d'un profane au travail d'un maître consommé.

PHÈDRE

Je t'avertis d'une chose, cesse de faire des façons avec moi, car, ou je me trompe, ou j'ai trouvé le mot qui te fera parler.

SOCRATE

Alors garde-toi de le dire.

PHÈDRE

Je vais le dire au contraire. Ce mot est un serment : Je jure — mais par quel dieu jurer, par lequel ? — tiens ! par ce platane, je jure que si tu ne prononces pas ton discours devant cet arbre même je ne te montrerai ni ne te rapporterai jamais plus aucun autre discours de personne.

SOCRATE

XIII. — Ah ! mauvais sujet, comme tu as su trouver l'infaillible moyen de m'amener à tes fins, en me prenant par mon faible pour les discours !

PHÈDRE

Qu'as-tu donc à tergiverser ?

SOCRATE

Rien, après le serment que tu as fait. Le moyen de renoncer à un tel régal ?

PHÈDRE

Parle donc.

SOCRATE

Sais-tu ce que je vais faire ?

PHÈDRE

Voyons.

SOCRATE

Je vais parler voilé, afin de courir ma carrière le plus vite possible, et de n'être pas gêné ni confus d'affronter tes regards [90].

PHÈDRE

Parle seulement ; pour le reste, fais comme tu l'entendras.

SOCRATE

Venez, Muses ligies [91], que vous deviez ce surnom à la nature de vos chants ou à la race musicienne des

Ligyens [92], soutenez-moi dans le discours que cet excellent ami me contraint de prononcer, afin que son ami, dont il admirait déjà le talent, lui paraisse à présent plus admirable encore.

Il y avait donc un enfant, ou plutôt un jeune adolescent d'une beauté parfaite. Il avait des soupirants en foule; mais l'un d'eux était un rusé; sans être moins amoureux que les autres, il avait persuadé à l'enfant qu'il n'était pas épris, et, un jour qu'il le sollicitait, il essaya de lui faire croire qu'il fallait accorder ses faveurs à l'ami sans amour plutôt qu'à l'amant passionné. Voici son discours :

XIV. — « En toute chose, mon enfant, il n'y a qu'une manière de commencer, quand on veut discuter convenablement : il faut bien comprendre l'objet de la discussion, faute de quoi l'on est condamné à s'égarer complètement. La plupart ne se doutent pas qu'ils ignorent l'essence des choses; aussi, persuadés qu'ils la connaissent, ils ne s'entendent pas au début de la discussion, et, à mesure qu'ils avancent, ils en arrivent naturellement à n'être d'accord ni avec eux-mêmes, ni avec les autres. Evitons, toi et moi, ce que nous reprochons aux autres; et puisque nous avons à décider s'il vaut mieux devenir l'ami d'un homme sans amour que d'un homme amoureux, établissons d'un commun accord ce qu'est l'amour et quels sont ses effets; puis, les yeux tournés vers cette définition, rapportons-y toute notre discussion sur les avantages ou les désavantages de l'amour.

Tout le monde reconnaît que l'amour est un désir; mais nous savons, d'autre part, que le désir du beau se rencontre aussi chez ceux qui n'aiment point. A quoi donc peut-on discerner celui qui aime de celui qui n'aime pas ? Il faut savoir qu'il y a dans chacun de nous deux principes qui nous gouvernent et nous dirigent et que nous suivons où ils nous mènent : l'un est le désir inné du plaisir, l'autre l'idée acquise qu'il faut rechercher le bien. Ces deux principes tantôt s'accordent, tantôt se combattent en nous, et tantôt c'est l'un, tantôt c'est l'autre qui triomphe. Or, quand c'est le goût rationnel du bien qui nous dirige et qui a le dessus, sa domination prend le nom de tempérance; quand, au contraire, c'est le désir déraisonnable qui nous entraîne au plaisir et règne en nous, sa domination s'appelle intempérance. Mais l'intempérance a beaucoup de noms, car elle admet bien des formes et des espèces, et, quand l'une de ces espèces vient à prédominer dans un homme, c'est son nom qui sert à le qualifier, nom qui n'est ni beau, ni enviable. Ainsi, quand le désir de la bonne chère prend le pas sur le bien et les autres désirs, il s'appelle gourmandise et fait donner le nom de gourmand à celui qui en est possédé; quand c'est le désir de boire qui règne en maître et subjugue celui qui en est atteint, on sait quel nom il reçoit; quant aux autres désirs, frères de ceux-là, on sait de quel nom il faut les désigner, selon que tel ou tel domine. A quel désir pensé-je en disant tout ceci, c'est, je crois, assez facile à discerner maintenant; mais ce qu'on dit est toujours plus clair que ce qu'on ne dit pas. Je dirai donc que, quand le désir aveugle, maîtrisant le sentiment qui nous pousse vers le bien, se porte vers le plaisir que donne la beauté, et que, fortement renforcé par les désirs de la même famille qui s'adressent à la beauté physique, il devient un penchant irrésistible, je dirai que ce désir tire son nom de cette force [93] même et s'appelle amour. »

XV. — Mais, mon cher Phèdre, ne te semble-t-il pas, comme à moi, que quelque dieu me souffle l'inspiration ?

PHÈDRE

En effet, Socrate; tes paroles coulent avec une facilité inusitée.

SOCRATE

Silence donc, et prête l'oreille; car véritablement ce lieu a quelque chose de divin, et si, au cours de mon discours, les nymphes m'inspiraient le délire, n'en sois pas étonné; maintenant déjà j'approche du ton du dithyrambe.

PHÈDRE

C'est bien vrai.

SOCRATE

C'est toi pourtant qui en es cause. Mais écoute le reste; car l'inspiration pourrait bien s'en aller; c'est l'affaire du dieu. Pour nous, reprenons notre discours à l'enfant.

« Ainsi, mon très cher, nous avon déterminé et défini l'objet dont nous avons à discuter. Poursuivons, sans perdre de vue notre définition, et voyons quel avantage ou désavantage on peut vraisemblablement attendre de ses complaisances soit pour un amant, soit pour un poursuivant sans amour.

Celui qui est livré à la passion et asservi à la volupté cherchera nécessairement à tirer de celui qu'il aime tout le plaisir possible; or un esprit malade trouve son plaisir dans la soumission qu'on a pour lui; il se choque de ce qui lui est supérieur ou égal. Ainsi un amant ne se résignera pas à trouver en son ami un supérieur ou un égal; il travaillera sans cesse à le rabaisser au-dessous de lui. Or l'ignorant est au-dessous du savant, le lâche au-dessous du brave, l'homme qui ne sait pas parler au-dessous de l'homme éloquent, le lourdaud au-dessous de l'esprit pénétrant. Parmi tant de défauts et d'autres encore qui se forment ou sont innés dans l'âme de son ami, fatalement l'amant se réjouira des uns et fera naître les autres, sous peine d'être privé de son plaisir du moment. Il n'échappera pas non plus à la jalousie, et il interdira à son ami beaucoup de relations utiles qui pourraient faire de lui un homme dans le sens le plus élevé du mot, et il lui causera ainsi un grand préjudice, surtout en le privant de ce qui le rendrait tout à fait sage, je veux dire la divine philosophie; l'amant l'en détournera nécessairement dans la crainte de s'attirer ses dédains. Enfin il emploiera tous les moyens pour que son ami reste dans une complète ignorance et n'ait d'yeux que pour son amant, et, quand l'ami sera au gré de son amant, il lui plaira sans doute beaucoup, mais il se sera fait à lui-même un tort considérable. Ainsi, au point de vue intellectuel, l'amant est un tuteur et un compagnon tout à fait nuisible.

XVI. — Au physique, quelle complexion l'amant cherchera-t-il et quels soins prendra-t-il de celui qu'il possède, lui que la passion contraint à sacrifier le bien au plaisir? C'est ce qu'il faut examiner maintenant. On le verra rechercher un garçon mou et sans muscles, élevé, non en plein soleil, mais dans une ombre épaisse, étranger aux mâles fatigues et aux sueurs du travail, accoutumé à un régime délicat et efféminé, paré de couleurs et d'ornements empruntés, faute de beauté naturelle, enfin montrant en tous ses goûts la même mollesse. Tout cela saute aux yeux, et ce n'est pas la peine d'insister davantage. Bornons-nous, avant de passer à d'autres considérations, à marquer ce trait général qu'à la guerre et dans toutes les occasions périlleuses un homme si délicat inspire de l'audace aux ennemis, des craintes à ses amis et à ses amants eux-mêmes. Cela est tellement évident que je n'en parlerai pas davantage.

Il nous reste à montrer maintenant si la société et l'influence d'un amant sont profitables ou nuisibles à la fortune de l'aimé. Or il est clair pour tout le monde, et pour l'amant tout le premier, qu'il désirerait avant tout voir son ami privé de ce qu'il a de plus cher, de plus affectionné, de plus sacré; il souhaiterait le voir privé de père, de mère, de parents et d'amis; car il les tient pour des gêneurs et des censeurs de son doux commerce. Si le jeune homme est riche en argent ou en autres biens, il n'est plus pour l'amant si facile à séduire, ni, séduit, si facile à manier. De là il faut conclure que l'amant est jaloux de la richesse de celui qu'il aime et qu'il se réjouit de sa ruine. Il souhaite même que son ami reste sans femme, sans enfants, sans foyer le plus longtemps possible, pour jouir le plus longtemps possible de son égoïste plaisir.

XVII. — L'homme est sujet à bien des maux; mais un dieu a mêlé à la plupart une douceur momentanée; ainsi le flatteur est une bête terrible et un grand fléau; mais la nature lui a prêté un agrément assez délicat. On réprouve comme funeste le commerce des courtisanes et il y a beaucoup d'autres créatures et de pratiques pareilles qui procurent au moins pour un jour un vif plaisir. L'amant, au contraire, n'est pas seulement nuisible, il est encore insupportable à son ami par sa présence continuelle; car, comme le dit le vieux proverbe, on ne se plaît qu'avec ceux de son âge; en effet, quand on est du même âge, on est porté aux mêmes plaisirs, et la conformité des goûts produit l'amitié; et pourtant cette amitié même est sujette au dégoût. D'autre part, la contrainte, qui est toujours et pour tous, dit-on, un joug pesant, l'est surtout pour le jeune garçon, d'autant qu'elle s'ajoute à la différence d'âge; car la compagnie du jeune garçon attire à tel point l'amant déjà mûr qu'il ne voudrait le quitter ni jour ni nuit. Sous l'aiguillon d'une passion irrésistible, il poursuit le plaisir toujours nouveau de voir, d'entendre, de toucher, de connaître par tous les sens l'objet aimé, et c'est avec délices qu'il s'attache à ses pas pour le servir. Mais quels encouragements, quels plaisirs pourra-t-il donner, pour l'empêcher d'en venir au comble du dégoût, à l'ami qui subit sa présence assidue; qui a sous les yeux une figure vieillie et déflorée et toutes les laideurs qui suivent l'âge, laideurs dont la simple mention est rebutante, et à plus forte raison le contact effectif auquel il est sans cesse contraint; qui sent qu'on observe jalousement toutes ses démarches et tous ses entretiens, qui s'entend faire tàntôt des compliments hors de propos et hors de mesure, et tantôt des reproches qui sont insoutenables, quand son amant est à jeun, et qui ne sont plus seulement insoutenables, mais infamants, lorsqu'il est ivre et que sa franchise ne connaît plus ni borne ni mesure.

XVIII. — Nuisible et importun quand il aime, l'amant, dès qu'il n'aime plus, devient infidèle aux promesses qu'il prodiguait pour l'avenir à grand renfort de serments et de prières; car il ne maintenait le fastidieux commerce qu'il avait alors avec le jeune garçon qu'à grand'peine et par l'appât des biens qu'il faisait espérer. Maintenant qu'il faut s'acquitter, il a changé de maître et de chef, il obéit à la raison et à la sagesse, et non plus à l'amour et à la folie; il est devenu tout autre à l'insu de son bien-aimé. Dès lors, l'un exige le prix de ses complaisances passées et rappelle à son amant ses démarches et ses paroles, comme s'il parlait au même homme; l'autre, confus, n'ose pas avouer qu'il a changé et ne sait comment tenir les serments et les promesses qu'il a faits sous l'empire de sa folie d'autrefois; car il a recouvré la raison, il est devenu sage et il ne voudrait pas, en retombant dans ses errements, ressembler à l'homme qu'il a été et redevenir ce qu'il était autrefois. En conséquence, il devient transfuge, et, contraint de frustrer celui qu'il a aimé jadis, parce que l'écaille est retournée, de poursuivant il devient fuyard [94]. Le bien-aimé se voit forcé de le poursuivre; il s'indigne, il atteste les dieux, parce qu'il n'a rien su dès le début; il n'a pas su qu'il ne fallait jamais accorder ses faveurs à un homme épris et par là même insensé, mais plutôt à un homme sans amour et maître de sa raison; qu'autrement il s'abandonnait forcément à un homme sans foi, chagrin, jaloux, déplaisant, nuisible à sa fortune, nuisible à sa santé, nuisible surtout au perfectionnement de son âme, laquelle est véritablement et sera toujours la chose du monde la plus précieuse aux yeux des hommes et des dieux. Il faut, mon enfant, méditer ces vérités, et savoir que l'amant, loin de lui vouloir du bien, aime l'enfant comme un plat dont il veut se rassasier, et que « *les amants aiment l'enfant comme les loups aiment l'agneau* ».

XIX. — Voilà ce que j'avais à dire, Phèdre. Tu ne m'entendras pas dire un mot de plus : mon discours est fini.

PHÈDRE

Je croyais bien pourtant que tu n'en étais qu'à la moitié, et que tu allais traiter la contrepartie, démontrer qu'il faut donner la préférence à celui qui n'est pas épris et faire voir les avantages qui sont en sa faveur. Pourquoi donc, Socrate, t'arrêtes-tu en route?

SOCRATE

N'as-tu pas pris garde, mon bon ami, que j'ai déjà embouché la trompette épique [95] et délaissé le dithyrambe et cela pour blâmer; si je me mets à louer l'autre, où m'arrêterai-je, à ton avis? Ne sens-tu pas que les nymphes, auxquelles tu m'as livré de propos délibéré, vont me jeter dans un délire manifeste? Je me bornerai donc à dire en un mot que tout ce que nous avons réprouvé chez l'un se tourne chez l'autre en avantage. Qu'est-il besoin d'un long discours? J'en ai dit assez sur tous les deux; mon discours, tel qu'il est, fera l'effet qu'il doit faire. Pour moi, je repasse la rivière et je m'en vais pour éviter de plus grandes violences de ta part.

PHÈDRE

Pas encore, Socrate, pas avant que la chaleur soit passée; ne vois-tu pas qu'il va être midi, l'heure de la grosse chaleur [96]? Restons plutôt à causer de ce que nous venons de dire; dès qu'il fera plus frais, nous partirons.

SOCRATE

Tu es extraordinaire, Phèdre, avec ta passion pour les discours, et vraiment je t'admire. Je suis persuadé que des discours qui ont été faits de ton temps, c'est à toi que la plus grande part en revient, soit que tu les aies prononcés toi-même, soit que tu les aies fait, d'une manière ou d'une autre, prononcer à d'autres. J'en excepte Simmias de Thèbes [97]; mais pour les autres tu les dépasses de beaucoup, et, à présent encore, je crois bien que tu es cause que j'ai un discours à faire.

PHÈDRE

Ce n'est pas une déclaration de guerre que tu fais là [98]. Mais comment en suis-je cause et de quoi s'agit-il?

SOCRATE

XX. — Au moment où j'allais passer la rivière, mon bon ami, j'ai senti le signal divin qui m'est familier et

qui m'arrête toujours au moment où je prends une résolution [99], et j'ai cru entendre ici même une voix qui
me défendait de partir avant d'avoir fait une expiation,
comme si j'avais commis quelque faute envers la divinité.
C'est qu'en effet je suis devin, devin médiocre, il est vrai;
je ressemble à ceux qui connaissent mal leurs lettres,
j'en sais juste assez pour mon usage. Aussi je devine bien
ma faute à présent. L'âme aussi, mon ami, est certainement douée d'une puissance divinatoire. Quelque chose
me troublait depuis un moment, pendant que je parlais;
selon l'expression d'Ibycos [100], j'avais peur, étant coupable
envers les dieux, d'en tirer gloire auprès des hommes. Je
me rends compte à présent de ma faute.

PHÈDRE

De quelle faute?

SOCRATE

Du fâcheux discours, Phèdre, du fâcheux discours que
tu as apporté toi-même et de celui que tu m'as contraint
à prononcer.

PHÈDRE

En quoi fâcheux?

SOCRATE

Ce sont de sots discours, et quelque peu impies; peut-il
y en avoir de plus fâcheux?

PHÈDRE

Non, si tu dis vrai.

SOCRATE

Quoi donc? ne crois-tu pas qu'Eros est fils d'Aphrodite et qu'il est dieu?

PHÈDRE

On le dit.

SOCRATE

Pas Lysias, à coup sûr, ni toi, dans le discours que tu
as prononcé par ma bouche, que tu avais ensorcelée.
Mais si Eros est dieu ou quelque chose de divin, comme
il l'est en effet, il ne saurait être mauvais; or nos deux
discours de tout à l'heure l'ont représenté comme
mauvais; par là ils ont offensé Eros. En outre, ils sont
tous deux d'une sottise vraiment plaisante : bien qu'ils
ne disent rien de sensé ni de vrai, ils prennent de grands

airs, comme s'ils valaient quelque chose, parce qu'ils trompent quelques nigauds et se font un renom parmi eux. Il faut donc, ami, que j'expie ma faute. Or il y a pour les erreurs envers la mythologie une antique expiation qu'Homère n'a point connue, mais que Stésichore [101] a su pratiquer. Privé de la vue pour avoir diffamé Hélène, il ne méconnut pas la cause de son malheur, comme Homère, mais, instruit par les Muses, il la reconnut et fit aussitôt ces vers :

« *Non, ce récit n'est pas vrai : tu n'es pas montée sur les navires aux beaux tillacs et tu n'es pas entrée dans la citadelle de Troie.* »

Quand il eut achevé cette palinodie, comme on l'appelle, il recouvra la vue sur-le-champ. Pour moi, je prétends montrer plus de sagesse que ces poètes, au moins en un point ; car, avant qu'Eros me punisse de l'avoir diffamé, je vais lui offrir ma palinodie, et je le ferai à visage découvert et sans me voiler, comme je l'ai fait tout à l'heure par respect humain.

PHÈDRE

Tu ne pouvais rien imaginer, Socrate, qui me fût plus agréable.

SOCRATE

XXI. — Tu te rends bien compte, mon bon Phèdre, de l'imprudence de ces deux discours, le mien et celui du cahier. Si en effet un homme généreux et bon, épris d'un jeune garçon doué des mêmes qualités, ou ayant été jadis aimé lui-même, nous entendait dire que les amants conçoivent des haines violentes pour des bagatelles, qu'ils sont jaloux, qu'ils nuisent à leur bien-aimé, ne penses-tu pas qu'il nous prendrait pour des gens élevés parmi les matelots et sans aucune idée de l'amour des honnêtes gens, et qu'il serait bien éloigné de donner les mains aux reproches que nous faisons à Eros ?

PHÈDRE

Par Zeus, c'est bien possible, Socrate.

SOCRATE

Aussi, pour n'avoir point à rougir devant cet homme ni à craindre la vengeance d'Eros lui-même, je veux purifier mes oreilles, si je puis dire, de la salure de mes premiers propos avec l'eau douce d'un nouveau discours ;

mais je conseille aussi à Lysias de reprendre la plume
au plus vite pour montrer qu'à mérite égal il faut
préférer l'amant au poursuivant sans amour.

PHÈDRE

Il le fera, sois-en sûr; car, si tu prononces l'éloge de
l'amour, il faudra bien que je force Lysias à écrire de
son côté un nouveau discours sur le même sujet.

SOCRATE

On peut s'en fier à toi, tant que tu seras l'homme que
je connais.

PHÈDRE

Tu peux donc parler en toute confiance.

SOCRATE

Mais où est l'enfant à qui je m'adressais? Il faut qu'il
entende encore ce que j'ai à dire et qu'il n'aille pas, faute
de l'avoir entendu, se donner précipitamment à un
homme sans amour.

PHÈDRE

Cet enfant est toujours à tes côtés, tout près de toi,
et il y restera tant que tu voudras.

SOCRATE

XXII. — Figure-toi donc, bel enfant, que le discours
précédent était de Phèdre, fils de Pythoclès, du dème
de Myrrhinunte, et que celui que je vais prononcer est
de Stésichore, fils d'Euphèmos, d'Himère. Voici comment
il faut parler : « Non, ce discours n'est pas vrai; non,
il ne faut pas, lorsqu'on a un amant, lui préférer un
homme sans amour, par cela seul que l'un est en délire
et que l'autre est dans son bon sens; ce serait juste s'il
était hors de doute que le délire fût un mal, mais au
contraire le délire est pour nous la source des plus grands
biens, quand il est l'effet d'une faveur divine. C'est dans
le délire en effet que la prophétesse de Delphes et les
prêtresses de Dodone ont rendu maints éminents services
à la Grèce, tant aux Etats qu'aux particuliers; de sang-
froid, elles n'ont guère, ou n'ont point été utiles. Ne
parlons pas de la sibylle et des autres devins inspirés
par les dieux, qui, par leurs prédictions, ont mis dans
le droit chemin bien des gens : ce serait allonger le discours
sans rien apprendre à personne. Mais voici un témoignage
qui mérite l'attention, c'est que, chez les anciens, ceux

qui ont créé les mots n'ont pas cru que le délire fût ni
honteux ni déshonorant; car ils n'auraient pas attaché
ce nom même au plus beau des arts, à l'art qui interprète
l'avenir, et ne l'auraient pas appelé *manikè* (délire);
c'est parce qu'ils regardaient le délire comme un don
magnifique, quand il vient du ciel, qu'ils lui ont donné
ce nom [102]; mais les modernes, insérant maladroitement
un t dans le mot, en ont fait *mantikè* [103] (divination).
Quand, au contraire, des hommes de sang-froid cherchent
à connaître l'avenir par les oiseaux et les autres signes,
comme cet art se fonde sur le raisonnement pour fournir
à la pensée humaine (οἴησις) l'intelligence (νοῦς) et la
connaissance (ἱστορία), on l'a appelé *oionistikè*, dont
les modernes ont fait *oiônistikè* (οἰωνιστική : art des
augures), en y introduisant un emphatique oméga [104].
Ainsi, autant la divination l'emporte en perfection et en
dignité sur l'art augural, autant le nom l'emporte sur
le nom, et l'objet sur l'objet, autant aussi, au témoignage
des anciens, le délire l'emporte en noblesse sur la sagesse,
le don qui vient des dieux sur le talent qui vient de
l'homme.

Quand, pour venger de vieilles offenses, les dieux
frappèrent certaines familles de maladies ou de fléaux
redoutables, le délire, s'emparant de mortels désignés
et faisant entendre sa voix inspirée à ceux qui devaient
l'entendre, trouva le moyen de détourner ces maux, en
recourant à des prières et à des cérémonies propitiatoires.
C'est ainsi qu'en inventant les purifications et les
expiations le délire préserva celui qui en était favorisé
des maux présents et des maux futurs; car il apprend à
l'homme vraiment inspiré et possédé la manière de
s'affranchir des maux qui surviennent.

Il y a une troisième espèce de possession et de délire,
celui qui vient des Muses. Quand il s'empare d'une
âme tendre et pure, il l'éveille, la transporte, lui inspire
des odes et des poèmes de toute sorte et, célébrant d'in-
nombrables hauts faits des anciens, fait l'éducation de
leurs descendants. Mais quiconque approche des portes
de la poésie sans que les Muses lui aient soufflé le délire,
persuadé que l'art suffit pour faire de lui un bon poète,
celui-là reste loin de la perfection, et la poésie du bon
sens est éclipsée par la poésie de l'inspiration [105].

XXIII. — Tels sont, et je pourrais en citer d'autres,
les heureux effets du délire inspiré par les dieux. Gardons-
nous donc de le redouter, et ne nous laissons pas troubler

ni intimider par ceux qui disent qu'il faut préférer à
l'amant agité par la passion l'ami maître de lui. Il leur
resterait encore à prouver, pour emporter l'honneur de la
victoire, que ce n'est pas pour le bien des amants et des
aimés que les dieux leur envoient l'amour. De notre
côté nous avons, au contraire, à démontrer que c'est
pour notre plus grande félicité que cette espèce de délire
nous a été donnée. Notre démonstration ne persuadera
pas les habiles, mais convaincra les sages. Il faut d'abord
apprendre à connaître exactement la nature de l'âme
divine et humaine, en considérant ses propriétés passives
et actives. Nous partirons du principe que voici.

XXIV. — Toute âme est immortelle ; car ce qui est
toujours en mouvement est immortel ; mais l'être qui
en meut un autre et qui est mû par un autre, au moment
où il cesse d'être mû, cesse de vivre ; seul, l'être qui se
meut lui-même, ne pouvant se faire défaut à lui-même, ne
cesse jamais de se mouvoir, et même il est pour tous les
autres êtres qui tirent le mouvement du dehors la source
et le principe du mouvement. Or un principe ne peut
prendre naissance, car il faut admettre nécessairement
que tout ce qui naît, naît d'un principe, mais que le
principe ne peut naître absolument de rien ; car, si
le principe naissait de quelque chose, il ne serait plus
principe [106]. Mais, parce qu'il n'a point eu de naissance,
il ne saurait non plus avoir de fin ; car, si le principe
périssait, jamais lui-même ne pourrait renaître de rien,
et rien ne pourrait naître de lui, s'il est vrai que tout
doit naître d'un principe. Ainsi l'être qui se meut lui-
même est le principe du mouvement, et cet être ne saurait
ni périr, ni naître ; autrement, le ciel tout entier et toute
la génération des êtres tomberaient et s'arrêteraient, et ne
retrouveraient plus jamais de quoi se mouvoir et renaître.
L'immortalité de l'être qui se meut lui-même étant
démontrée, on n'hésitera pas à reconnaître que le mouvement même est l'essence et l'idée même de l'âme ; car
tout corps qui tire son mouvement du dehors est inanimé ;
celui qui le tire du dedans, c'est-à-dire de lui-même, a
une âme, puisque la nature de l'âme consiste en cela
même. Mais s'il est vrai que ce qui se meut soi-même
n'est pas autre chose que l'âme, il s'ensuit nécessairement
que l'âme n'a pas eu de commencement et qu'elle n'aura
pas de fin. J'en ai dit assez sur son immortalité.

XXV. — Il faut parler maintenant de la nature de
l'âme. Pour montrer ce qu'elle est, il faudrait une science

toute divine et de longs développements; mais, pour en donner une idée approximative, on peut se contenter d'une science humaine et l'on peut être plus bref. J'adopterai donc ce dernier procédé, et je dirai qu'elle ressemble à une force composée d'un attelage et d'un cocher ailés. Chez les dieux, chevaux et cochers sont également bons et de bonne race; chez les autres êtres, ils sont de valeur inégale; chez nous, le cocher gouverne l'attelage, mais l'un de ses chevaux est excellent et d'excellente race, l'autre est tout le contraire et par lui-même et par son origine. Il s'ensuit fatalement que c'est une tâche pénible et malaisée de tenir les rênes de notre âme. Mais comment faut-il entendre les termes d'être mortel et d'être immortel, c'est ce qu'il faut tâcher d'expliquer. Tout ce qui est âme a la tutelle de tout ce qui est inanimé, et fait le tour du ciel, tantôt sous une forme, tantôt sous une autre. Quand elle est parfaite et ailée, elle parcourt l'empyrée et gouverne tout l'univers. Quand elle a perdu ses ailes, elle est emportée dans les airs, jusqu'à ce qu'elle saisisse quelque chose de solide, où elle établit sa demeure, et, quand elle a ainsi rencontré un corps terrestre, qui, sous son impulsion, paraît se mouvoir de lui-même, cet assemblage d'une âme et d'un corps s'appelle un animal, et on le qualifie de mortel. Quant au nom d'immortel, il ne s'explique par aucun raisonnement en forme; mais dans l'impossibilité où nous sommes de voir et de connaître exactement la divinité, nous nous la représentons comme un être vivant immortel, doué d'une âme et d'un corps, éternellement unis l'un à l'autre. Mais qu'il en soit ce qu'il plaira à Dieu et qu'on en dise ce qu'on voudra; recherchons pourquoi l'âme perd et laisse tomber ses ailes. Voici à peu près ce qu'on peut en dire :

XXVI. — La nature a doué l'aile du pouvoir d'élever ce qui est pesant vers les hauteurs où habite la race des dieux, et l'on peut dire que, de toutes les choses corporelles, c'est elle qui participe le plus à ce qui est divin. Or ce qui est divin, c'est ce qui est beau, sage, bon et tout ce qui ressemble à ces qualités; et c'est ce qui nourrit et fortifie le mieux les ailes de l'âme, tandis que les défauts contraires, comme la laideur et la méchanceté, les ruinent et les détruisent. Or le guide suprême, Zeus, s'avance le premier dans le ciel, conduisant son char ailé, ordonnant et gouvernant toutes choses; derrière lui marche l'armée des dieux et des démons répartie en onze cohortes ; car Hestia reste seule dans la maison des dieux, tandis que les autres, qui comptent parmi les douze dieux conducteurs, marchent en tête de leur cohorte, à la place qui leur a été assignée. Que d'heureux spectacles, que d'évolutions ravissantes animent l'intérieur du ciel, où les dieux bienheureux circulent pour accomplir leur tâche respective, accompagnés de tous ceux qui veulent et peuvent les suivre, car l'envie n'approche point du chœur des dieux ! Lorsqu'ils vont prendre leur nourriture au banquet divin, ils montent par un chemin escarpé au plus haut point de la voûte du ciel. Alors les chars des dieux, toujours en équilibre et faciles à diriger, montent sans effort ; mais les autres gravissent avec peine, parce que le cheval vicieux est pesant et qu'il alourdit et fait pencher le char vers la terre, s'il a été mal dressé par son cocher ; c'est une tâche pénible et une lutte suprême que l'âme doit alors affronter ; car les âmes immortelles, une fois parvenues au haut du ciel, passent de l'autre côté et vont se placer sur la voûte du ciel, et, tandis qu'elles s'y tiennent, la révolution du ciel les emporte dans sa course, et elles contemplent les réalités qui sont en dehors du ciel.

XXVII. — L'espace qui s'étend au-dessus du ciel n'a pas encore été chanté par aucun des poètes d'ici-bas et ne sera jamais chanté dignement. Je vais dire ce qui en est ; car il faut oser dire la vérité, surtout quand on parle sur la vérité. L'essence, véritablement existante, qui est sans couleur, sans forme, impalpable, uniquement perceptible au guide de l'âme, l'intelligence, et qui est objet de la véritable science, réside en cet endroit. Or la pensée de Dieu, étant nourrie par l'intelligence et la science absolue, comme d'ailleurs la pensée de toute âme qui doit recevoir l'aliment qui lui est propre, se réjouit de revoir enfin l'être en soi et se nourrit avec délices de la contemplation de la vérité, jusqu'à ce que le mouvement circulaire la ramène à son point de départ. Pendant cette révolution, elle contemple la justice en soi, elle contemple la sagesse en soi, elle contemple la science, non celle qui est sujette à l'évolution ou qui diffère suivant les objets que nous qualifions ici-bas de réels, mais la science qui a pour objet l'Etre absolu. Et quand elle a de même contemplé les autres essences et qu'elle s'en est nourrie, l'âme se replonge à l'intérieur de la voûte céleste et rentre dans sa demeure ; puis, lorsqu'elle est rentrée, le cocher, attachant ses chevaux à la crèche, leur jette l'ambroisie, puis leur fait boire le nectar.

XXVIII. — Telle est la vie des dieux. Parmi les autres âmes, celle qui suit la divinité de plus près et lui ressemble le plus élève la tête de son cocher vers l'autre côté du ciel et se laisse ainsi emporter au mouvement circulaire, mais, troublée par ses chevaux, elle a de la peine à contempler les essences; telle autre tantôt s'élève, tantôt s'abaisse, mais, gênée par les mouvements désordonnés des chevaux, aperçoit certaines essences, tandis que d'autres lui échappent. Les autres âmes sont toutes avides de monter, mais, impuissantes à suivre, elles sont submergées dans le tourbillon qui les emporte, elles se foulent, elles se précipitent les unes sur les autres, chacune essayant de se pousser avant l'autre. De là un tumulte, des luttes et des efforts désespérés, où, par la faute des cochers, beaucoup d'âmes deviennent boiteuses, beaucoup perdent une grande partie de leurs ailes. Mais toutes, en dépit de leurs efforts, s'éloignent sans avoir pu jouir de la vue de l'absolu, et n'ont plus dès lors d'autre aliment que l'opinion. La raison de ce grand empressement à découvrir la plaine de la vérité, c'est que la pâture qui convient à la partie la plus noble de l'âme vient de la prairie qui s'y trouve, et que les propriétés naturelles de l'aile s'alimentent à ce qui rend l'âme plus légère; c'est aussi cette loi d'Adrastée [107], que toute âme qui a pu suivre l'âme divine et contempler quelqu'une des vérités absolues est à l'abri du mal jusqu'à la révolution suivante, et que, si elle réussit à le faire toujours, elle est indemne pour toujours. Mais lorsque, impuissante à suivre les dieux, l'âme n'a pas vu les essences, et que par malheur, gorgée d'oubli et de vice, elle s'alourdit, puis perd ses ailes et tombe vers la terre, une loi lui défend d'animer à la première génération le corps d'un animal, et veut que l'âme qui a vu le plus de vérités produise un homme qui sera passionné pour la sagesse, la beauté, les muses et l'amour, que l'âme qui tient le second rang donne un roi juste ou guerrier et habile à commander; que celle du troisième rang donne un politique, un économe, un financier; que celle du quatrième produise un gymnaste infatigable ou un médecin; que celle du cinquième mène la vie du devin ou de l'initié; que celle du sixième s'assortisse à un poète ou à quelque autre artiste imitateur, celle du septième à un artisan ou à un laboureur, celle du

huitième à un sophiste ou à un démagogue, celle du
neuvième à un tyran.

XXIX. — Dans tous ces états, ceux qui ont vécu
en pratiquant la justice obtiennent en échange une
destinée meilleure; ceux qui l'ont violée, une destinée
plus mauvaise. En effet, aucune âme ne revient au lieu
d'où elle est partie avant dix mille années; car elle ne
recouvre pas ses ailes avant ce laps de temps, à moins
qu'elle n'ait été l'âme d'un homme qui ait cherché la
vérité avec un cœur simple ou qui ait aimé les jeunes gens
d'un amour philosophique. Alors à la troisième période
de mille ans, si elle a embrassé trois fois de suite ce genre
de vie, elle reprend ses ailes et retourne vers les dieux
après la trois millième année. Pour les autres, quand elles
sont arrivées au terme de leur première vie, elles subissent
un jugement. Ce jugement rendu, les unes descendent
dans les prisons souterraines pour y payer leur peine; les
autres, allégées par l'arrêt du juge, s'élèvent vers un
certain endroit du ciel pour y mener l'existence qu'elles
ont méritée, tandis qu'elles vivaient sous la forme
humaine. Au bout de mille ans, les unes et les autres
reviennent pour prendre part à un nouveau partage, où
chacune peut choisir la vie qui lui plaît. Alors l'âme d'un
homme entre dans le corps d'une bête, et l'âme d'une
bête rentre dans le corps d'un homme, pourvu qu'elle ait
été déjà un homme; car celle qui n'a jamais vu la vérité
ne saurait revêtir la forme humaine. Pour être homme,
en effet, il faut comprendre ce qu'on appelle le général,
qui, partant de la multiplicité des sensations, les ramène
par le raisonnement à l'unité. Or cette faculté est une
réminiscence des choses que notre âme a vues quand elle
cheminait avec l'âme divine et que, dédaignant ce que
nous prenons ici-bas pour des êtres, elle se redressait
pour contempler l'être véritable. Voilà pourquoi il est
juste que, seule, la pensée du philosophe ait des ailes;
car elle ne cesse de poursuivre de toutes ses forces, par
le souvenir, les choses dont la possession assure à Dieu
même sa divinité. L'homme qui sait tirer parti de ces
réminiscences, initié sans cesse aux mystères de l'absolue
perfection, devient seul véritablement parfait. Détaché
des passions humaines et occupé des choses divines, il
encourt les reproches de la foule, qui le tient pour insensé
et ne s'aperçoit pas qu'il est inspiré.

XXX. — C'est ici qu'en voulait venir tout ce discours
sur la quatrième espèce de délire. Quand la vue de la

beauté terrestre réveille le souvenir de la beauté véritable, que l'âme revêt des ailes et que, confiante en ces
ailes nouvelles, elle brûle de prendre son essor, mais
que, sentant son impuissance, elle lève, comme l'oiseau,
ses regards vers le ciel, et que, négligeant les choses
d'ici-bas, elle se fait accuser de folie, l'enthousiasme qui
s'élève ainsi est le plus enviable, en lui-même et dans
ses causes, pour celui qui le ressent et pour celui auquel
il le communique; et celui qui, possédé de ce délire,
s'éprend d'amour pour les beaux jeunes gens, reçoit
le nom d'amant. J'ai dit que toute âme d'homme a
naturellement contemplé les essences, autrement elle
ne serait pas entrée dans un homme; mais il n'est pas
également facile à toutes les âmes de se ressouvenir des
choses du ciel à la vue des choses de la terre; car certaines âmes n'ont qu'entrevu les choses du ciel; d'autres,
après leur chute sur la terre, ont eu le malheur de se
laisser entraîner à l'injustice par les mauvaises compa-
gnies, et d'oublier les mystères sacrés qu'elles ont vus
alors; il n'en reste qu'un petit nombre qui en ont gardé
un souvenir suffisant. Quand celles-ci aperçoivent quelque
image des choses du ciel, elles sont saisies et ne sont
plus maîtresses d'elles-mêmes; mais elles ne reconnaissent pas ce qu'elles éprouvent, parce qu'elles n'en
ont pas des perceptions assez claires. C'est qu'en ce qui
regarde la justice, la tempérance et les autres biens de
l'âme, leurs images d'ici-bas ne jettent point d'éclat;
par suite de la faiblesse de nos organes, c'est à peine
si quelques-uns, rencontrant des images de ces vertus,
reconnaissent le genre du modèle qu'elles représentent.
Mais la beauté, au contraire, était facile à voir à cause de
son éclat, lorsque, mêlés au chœur des bienheureux,
nous, à la suite de Zeus, d'autres, à la suite d'un autre
dieu, nous jouissions de cette vue et de cette contemplation ravissante, et qu'initiés, on peut le dire, aux plus
délicieux des mystères, et les célébrant dans la plénitude
de la perfection et à l'abri de tous les maux qui nous
attendaient dans l'avenir, nous étions admis à contempler dans une pure lumière des apparitions parfaites,
simples, immuables, bienheureuses, purs nous-mêmes et
exempts des stigmates de ce fardeau que nous portons
avec nous et que nous appelons le corps, et où nous
sommes emprisonnés comme l'huître dans sa coquille.
    XXXI. — Il faut pardonner ces longueurs au souvenir
et au regret de ces visions célestes. Je reviens à la beauté.

Nous l'avons vue alors, je l'ai dit, resplendir parmi ces
visions; retombés sur la terre, nous la voyons par le
plus pénétrant de tous les sens effacer tout de son éclat.
La vue est, en effet, le plus subtil des organes du corps;
cependant elle ne perçoit pas la sagesse; car la sagesse
susciterait d'incroyables amours si elle présentait à nos
yeux une image aussi claire que celle de la beauté, et il
en serait de même de toutes les essences dignes de notre
amour. La beauté seule jouit du privilège d'être la plus
visible et la plus charmante. Mais l'homme dont l'initiation est ancienne ou qui s'est laissé corrompre a peine
à remonter d'ici-bas, dans l'autre monde, vers la beauté
absolue, quand il contemple sur terre une image qui en
porte le nom. Aussi, loin de sentir du respect à sa vue,
il cède à l'aiguillon du plaisir, et, comme une bête, il
cherche à la saillir et à lui jeter sa semence, et dans la
frénésie de ses approches il ne craint ni ne rougit de
poursuivre une volupté contre nature. Mais celui qui a
été récemment initié, qui a beaucoup vu dans le ciel,
aperçoit-il en un visage une heureuse imitation de la
beauté divine ou dans un corps quelques traits de la beauté
idéale, aussitôt il frissonne et sent remuer en lui quelque
chose de ses émotions d'autrefois; puis, les regards attachés sur le bel objet, il le vénère comme un dieu, et, s'il
ne craignait de passer pour frénétique, il lui offrirait des
victimes comme à une idole ou à un dieu. A sa vue,
comme s'il avait le frisson de la fièvre, il change de
couleur, il se couvre de sueur, il se sent brûlé d'un feu
inaccoutumé. A peine a-t-il reçu par les yeux les effluves
de la beauté qu'il s'échauffe, et que la substance de ses
ailes en est arrosée. Cette chaleur fond l'enveloppe, qui,
resserrée longtemps par la sécheresse, les empêchait de
germer; sous l'afflux des effluves nourrissants la tige de
l'aile se gonfle et se met à pousser de la racine sur toute
la forme de l'âme; car jadis l'âme était tout ailes.

XXXII. — En cet état l'âme tout entière bouillonne et
se soulève; elle éprouve le même malaise que ceux qui
font des dents : la croissance des dents provoque des
démangeaisons et une irritation des gencives; c'est ce
qui arrive à l'âme dont les ailes commencent à pousser :
la pousse des ailes provoque une effervescence, un agace-
ment, des démangeaisons du même genre. Quand elle
regarde la beauté du jeune garçon et que des parcelles
s'en détachent et coulent en elle — de là vient le nom
donné au désir [108] — et qu'en la pénétrant elles l'arrosent

et l'échauffent tout ensemble, l'âme respire et se réjouit. Mais quand elle est séparée du bien-aimé et qu'elle se dessèche, les orifices des pores par où sortent les ailes se desséchant aussi se ferment et barrent la route au germe des ailes. Ce germe enfermé avec le désir saute comme le sang bat dans les artères, pique chacune des issues respectives où il se trouve, de sorte que l'âme, aiguillonnée de toutes parts, se débat dans la souffrance. Mais, d'un autre côté, elle se réjouit au souvenir de la beauté. Cet étrange mélange de douleur et de joie la tourmente et, dans sa perplexité, elle s'enrage, et sa frénésie l'empêche de dormir la nuit et de rester en place pendant le jour; aussi elle court avidement du côté où elle pense voir celui qui possède la beauté. Quand elle l'a vu et qu'elle a fait entrer en elle le désir, elle sent s'ouvrir les issues fermées naguère, et, reprenant haleine, elle ne sent plus l'aiguillon ni la douleur; au contraire, elle goûte pour le moment la volupté la plus suave. Aussi l'amant ne voudrait-il jamais quitter son bel ami, et le met-il au-dessus de tout; mère, frères, camarades, il oublie tout, et, si sa fortune négligée se perd, il n'en a cure. Les usages et les convenances, qu'il se piquait d'observer auparavant, le laissent indifférent; il consent à être esclave et à dormir où l'on voudra, mais le plus près possible de l'objet de son désir; car, outre qu'il vénère celui qui possède la beauté, il ne trouve qu'en lui le médecin de ses tourments. Cette affection, bel enfant à qui s'adresse mon discours, les hommes l'appellent Eros; quant au nom que lui donnent les dieux, tu en riras sans doute, parce que tu es jeune. Certains Homérides, je crois, citent à propos d'Eros deux vers des poèmes détachés, dont l'un est tout à fait irrespectueux et peu modeste. Ces vers disent :

« *Les mortels le nomment Eros ailé,*

« *Et les dieux Ptéros* [109]*, parce qu'il donne des ailes.* »

On peut admettre ou rejeter l'autorité de ces vers; mais la cause et la nature de l'affection des amants sont exactement telles que je les ai dépeintes.

XXXIII. — Quand un suivant de Zeus est épris d'amour, il a plus de force pour supporter le choc du dieu ailé; ceux qui ont été les sectateurs d'Arès et qui ont fait le tour du ciel à sa suite, quand ils sont captivés par Eros et qu'ils se croient outragés par le bien-aimé, deviennent meurtriers et n'hésitent pas à sacrifier et eux-mêmes et l'objet de leur amour. C'est ainsi que chacun,

honorant et imitant le dieu dont il a été choreute, règle,
autant qu'il le peut, sa vie sur lui, tant qu'il n'est pas
corrompu et qu'il n'a pas dépassé la première génération
sur la terre; et le même principe gouverne sa conduite
dans ses relations avec ceux qu'il aime et avec les autres.
Chacun choisit selon son caractère parmi les beaux garçons l'objet de son amour; il en fait son dieu, il lui dresse
une statue dans son cœur et la charge d'ornements, pour
la vénérer et célébrer ses mystères. Les sectateurs de
Zeus recherchent un ami qui ait une âme de Zeus; ils
examinent s'il a le goût de la sagesse et le don du commandement, et, quand ils l'ont trouvé et s'en sont épris, ils
font tout pour perfectionner en lui ces qualités. S'ils
ne s'étaient pas encore engagés dans les études qui s'y
rapportent, ils s'y adonnent et s'instruisent près des
maîtres qu'ils peuvent trouver ou par leurs propres
recherches; ils scrutent en eux-mêmes pour découvrir
la nature de leur dieu, et ils y réussissent, parce qu'ils
sont forcés de tenir leurs regards tendus vers le dieu;
puis, quand ils l'ont ressaisi par le souvenir, pris d'enthousiasme, ils lui empruntent ses mœurs et ses goûts,
autant qu'il est possible à l'homme de participer à la
divinité. Comme ils attribuent ce perfectionnement au
bien-aimé, ils l'en aiment encore davantage, et, quand ils
ont puisé leur inspiration en Zeus, comme les bac-
chantes, ils la reversent dans l'âme du bien-aimé et le
rendent autant qu'ils le peuvent semblable à leur dieu.
Ceux qui suivaient Héra cherchent une âme royale,
et, quand ils l'ont trouvée, ils tiennent avec elle la même
conduite. Les suivants d'Apollon et de chacun des autres
dieux, se réglant de même sur leur dieu, cherchent dans
leur jeune ami un naturel conforme à leur modèle et,
quand ils l'ont trouvé, alors, imitant le dieu et pressant
le jeune homme de l'imiter, ils règlent ses inclinations et
l'amènent à reproduire le caractère et l'idée du dieu,
autant qu'il peut le faire. Loin d'avoir pour le bien-aimé
de la jalousie ou une basse malveillance, ils font tous les
efforts possibles pour l'amener à une parfaite ressemblance avec eux et le dieu qu'ils honorent. Ainsi le zèle
des vrais amants et leurs initiations, s'ils parviennent à
réaliser leur désir de la manière que je dis, ont une belle
et heureuse influence sur l'aimé, quand il est pris par
un amant en délire. Or voici comment il se laisse prendre.

XXXIV. — Au début de cette allégorie, j'ai distingué
dans l'âme trois parties, et assimilé les deux premières

à des chevaux et la troisième à un cocher. Continuons à faire usage de la même figure. Des deux chevaux, disions-nous, l'un est bon, l'autre ne l'est pas ; mais nous n'avons pas dit en quoi consistait la bonté de l'un, la méchanceté de l'autre ; c'est ce qu'il faut expliquer à présent. Le premier, placé à droite, est droit et bien découplé, d'encolure haute, les naseaux aquilins, la robe blanche et les yeux noirs ; il est amoureux de l'honneur, de la tempérance et de la pudeur, attaché à l'opinion vraie ; la parole et la raison, sans les coups, suffisent à le conduire ; l'autre, au contraire, est tortu, épais, mal bâti, le cou trapu, l'encolure courte[110], la face camarde[111], la robe noire, les yeux bleus et injectés de sang ; il est ami de la violence et de la fanfaronnade, il est velu autour des oreilles, il est sourd et n'obéit qu'avec peine au fouet et à l'aiguillon. Quand donc le cocher, apercevant l'objet d'amour, sent toute son âme prendre feu et qu'il est envahi par les chatouillements et les aiguillons du désir, le cheval docile aux rênes, dominé comme toujours par la pudeur, se retient de bondir sur le bien-aimé ; mais l'autre, sans souci de l'aiguillon ni du fouet, saute et s'emporte avec violence ; il donne toutes les peines du monde à son compagnon d'attelage et à son cocher, et les contraint d'aborder le jeune garçon et de l'entretenir des plaisirs d'Aphrodite. Tous les deux résistent d'abord, indignés qu'on les pousse à des démarches si hardies et si criminelles ; mais à la fin, comme il ne cesse de les tourmenter, ils se laissent entraîner, cèdent et consentent à lui obéir ; ils s'approchent du jeune homme et contemplent cette apparition resplendissante.

XXXV. — A sa vue, la mémoire du cocher se reporte vers l'essence de la beauté, et il la revoit debout avec la tempérance sur un piédestal sacré. Devant cette vision, saisi de crainte et de respect, il se renverse en arrière, ce qui lui fait tirer les rênes avec tant de violence que les deux chevaux tombent sur leur croupe, l'un volontairement, parce qu'il ne résiste pas, mais l'autre, le brutal, tout à fait malgré lui. Tandis qu'ils reculent, l'un, de honte et de stupeur, mouille de sueur l'âme tout entière ; mais l'autre, remis de la douleur que le mors et sa chute lui ont causée, ayant à peine repris haleine, s'emporte et charge de reproches et d'outrages son guide et son compagnon, sous prétexte qu'ils ont, par lâcheté et couardise, abandonné leur poste et manqué à leur parole. En dépit qu'ils en aient, il veut les contraindre à revenir à la charge, et c'est à grand-peine qu'il accorde un délai à leurs prières. Le terme échu, comme ils font semblant d'oublier, il leur rappelle leur engagement, les violente, hennit, les tiraille et les force à s'approcher du jeune garçon pour lui faire les mêmes propositions; puis, quand ils sont en sa présence, avançant la tête, tendant la queue, mordant le frein, il les traîne avec effronterie; mais le cocher, saisi d'une émotion plus forte encore que la première fois, comme s'il se rejetait en arrière à l'entrée de la carrière, tire encore plus fort sur la bouche du cheval emporté, ensanglante sa langue insolente et ses mâchoires, le renverse sur ses jambes de derrière et sa croupe, et le fait souffrir. Lorsque, après plusieurs expériences de cette nature, le cheval vicieux a perdu sa fougue et se sent dompté, il obéit désormais à son prévoyant cocher, et, quand il voit le bel enfant, il se meurt de terreur. C'est alors seulement que l'âme de l'amant suit le jeune garçon avec respect et avec crainte.

XXXVI. — Le jeune homme qui se voit entouré de soins de toute sorte et honoré comme un dieu par un amant, non pas simulé, mais véritablement épris, et qui se sent naturellement porté par l'amitié vers son adorateur, a pu auparavant entendre ses condisciples ou d'autres personnes dénigrer l'amour et soutenir qu'il est honteux d'avoir un commerce amoureux, il a pu sous ce prétexte repousser son amant; mais avec le temps, l'âge et la loi de la nature l'amènent à le recevoir dans son intimité; car il n'a jamais été dans les arrêts du destin qu'un méchant soit l'ami d'un méchant, et qu'un homme de bien ne puisse être l'ami d'un homme de bien. Or quand le jeune homme a consenti à l'accueillir dans sa compagnie, et à prêter l'oreille à ses discours, l'affection de l'amant, circonvenant son cœur de plus près, le ravit; il comprend que l'affection de tous les amis et parents ensemble n'est rien auprès de celle d'un amant inspiré. Quand il s'est prêté à ces relations pendant quelque temps, qu'il s'est approché de lui et l'a touché dans les gymnases et les autres réunions, dès lors la source de ce courant que Zeus, amoureux de Ganymède, a nommé le désir, roulant à grands flots vers l'amant, pénètre en lui, et quand il en est rempli, le reste s'épanche au-dehors, et, comme un souffle ou un son renvoyé par un corps lisse et solide revient au point d'où il est parti, ainsi le courant de la beauté revient dans l'âme du bel enfant par les yeux, chemin naturel de l'âme, ouvre les passages à telle espèce de discours, apprise à l'école, alors on aura atteint la pleine perfection de l'art; auparavant, non pas. Mais si, soit en parlant, soit en enseignant, soit en écrivant, l'on manque à remplir quelqu'une de ces conditions, on aura beau prétendre parler avec art : on ne sera pas cru, et ce sera justice. Mais quoi? dira peut-être notre auteur [136], pensez-vous, toi, Phèdre, et toi, Socrate, qu'il faille donner son suffrage à cette façon d'enseigner l'art oratoire ou le réserver à quelque autre?

PHÈDRE

Il est impossible, Socrate, d'en adopter une autre, bien que ce soit, semble-t-il, une rude tâche.

SOCRATE

C'est vrai; aussi faut-il mettre sens dessus dessous tous les traités pour voir si nous ne découvrirons pas une route plus facile et plus courte qui nous mène à l'art; ce serait sottise de nous engager dans les détours d'une route longue et âpre, quand nous pouvons en prendre une courte et unie. Mais si tu peux trouver de quoi nous aider dans les leçons que tu as entendu faire à Lysias ou à quelque autre, essaye de t'en souvenir et de me le rapporter.

PHÈDRE

Essayer, je le puis; mais y réussir instantanément, c'est autre chose.

SOCRATE

Veux-tu que je te rapporte, moi, certain discours que j'ai entendu tenir à des gens versés dans ces matières?

PHÈDRE

Certainement.

SOCRATE

On dit, Phèdre, qu'il est juste de plaider même la cause du loup.

PHÈDRE

Eh bien, fais-le, toi aussi.

SOCRATE

LVII. — Ils disent donc qu'il ne faut pas attacher tant d'importance à notre méthode ni remonter si haut par tant de détours; car il est bien certain, comme nous

l'avons dit au début de cet entretien, qu'il n'est pas
nécessaire, pour être bon orateur, de connaître la vérité
sur la justice et la bonté des choses et des hommes et de
savoir si ces qualités sont naturelles ou acquises. Dans les
tribunaux en effet on ne s'inquiète pas le moins du monde
de dire la vérité, mais de persuader, et la persuasion
relève de la vraisemblance : c'est à la vraisemblance que
l'on doit s'appliquer, si l'on veut parler avec art. Il y a
même des cas où il faut se garder d'exposer les faits
comme ils se sont passés : c'est quand ils sont contraires
à la vraisemblance; il faut alors les réduire au vraisemblable, aussi bien dans la défense que dans l'attaque.
Enfin, en général, l'orateur doit s'attacher au vraisemblable et envoyer promener le vrai. La vraisemblance,
soutenue d'un bout à l'autre du discours, voilà ce qui
constitue tout l'art oratoire.

PHÈDRE

C'est bien cela, Socrate : tu as rapporté exactement
ce que disent ceux qui se donnent pour les maîtres de
l'art oratoire. Je me rappelle en effet que nous avons
brièvement touché ce point, et qu'il est de première
importance pour ceux qui s'occupent de ces matières.

SOCRATE

Mais à coup sûr, tu as pratiqué Tisias lui-même avec
une attention minutieuse. Que Tisias nous dise donc
encore si par le vraisemblable il entend autre chose que
ce qui semble vrai à la multitude.

PHÈDRE

Pourrait-il entendre autre chose?

SOCRATE

Ayant découvert, semble-t-il, cette ingénieuse règle
de l'art, il a écrit que, si un homme faible et courageux
est traduit en justice pour avoir battu un homme fort
et lâche et lui avoir enlevé son manteau ou quelque
autre objet, ni l'un ni l'autre ne doit dire la vérité;
mais que le lâche doit affirmer que le brave n'était pas
seul à le battre, et le brave essayer de prouver qu'ils
étaient tous deux seuls et recourir à un argument comme
celui-ci : Comment moi, si faible, aurais-je attaqué un
homme si fort? De son côté, l'autre, loin d'avouer sa

lâcheté, essayera quelque autre mensonge qui peut-être fournira à son adversaire l'occasion de le confondre. Tout le reste est du même acabit, et voilà ce qu'ils appellent parler avec art. N'est-ce pas vrai, Phèdre?

PHÈDRE

Si.

SOCRATE

Ah! c'est, paraît-il, un art merveilleusement caché qu'a découvert Tisias, ou un autre, quel qu'il puisse être et quel que soit le nom qu'il se pique de porter. Mais, mon camarade, ne dirons-nous pas à cet homme...?

PHÈDRE

Quoi?

SOCRATE

LVIII. — Ceci : Bien avant ton entrée en scène, Tisias, nous disions justement que cette vraisemblance s'impose à la foule précisément par sa ressemblance à la vérité, et nous faisions voir tout à l'heure que c'est quand on possède la vérité qu'on sait le mieux découvrir ces ressemblances en toutes circonstances. Si donc tu as quelque autre chose à dire sur l'art oratoire, nous t'écouterons volontiers; sinon, nous nous en tiendrons aux principes que nous avons posés, que, si l'on n'a pas fait un dénombrement exact des caractères des auditeurs, si l'on n'a pas divisé les choses en espèces, et si l'on n'est pas capable de ramener chaque idée particulière à une idée générale, on n'atteindra jamais la perfection de l'art oratoire, dans la mesure où elle est accessible à l'homme. Mais cette perfection, on ne saurait l'acquérir sans un immense labeur, et, si le sage en assume la peine, ce ne sera pas pour parler aux hommes et traiter avec eux, mais pour se mettre en état, autant qu'il dépend de lui, de plaire aux dieux par ses paroles, et de leur plaire en toute sa conduite; car un homme de sens ne doit pas, Tisias, c'est l'opinion de gens plus sages que nous, s'étudier à plaire à ses compagnons d'esclavage, sinon en passant, mais à de bons et nobles maîtres. Aussi tu ne dois pas t'étonner si le circuit est long; au rebours de ce que tu crois, c'est en vue d'un but sublime qu'il faut faire ces détours. D'ailleurs, comme notre discussion l'a fait voir, c'est de cette manière qu'on atteindra le mieux, si on le veut, le but que tu proposes.

PHÈDRE

C'est parfait, Socrate, à condition qu'on puisse atteindre ce but.

SOCRATE

Quand on poursuit les belles choses, il est beau d'affronter toutes les souffrances possibles.

PHÈDRE

Certainement.

SOCRATE

En voilà assez sur l'art et le défaut d'art des discours.

PHÈDRE

Soit.

SOCRATE

Il nous reste à examiner la convenance ou l'inconvenance qu'il peut y avoir à écrire, et la manière de le faire suivant ou contre la décence, n'est-ce pas?

PHÈDRE

Oui.

SOCRATE

LIX. — Sais-tu à propos des discours quelle est la manière de faire ou de parler qui est la plus agréable aux dieux?

PHÈDRE

Pas du tout, et toi?

SOCRATE

Je puis te rapporter une tradition des anciens : les anciens connaissent la vérité. Si nous pouvions la trouver par nous-mêmes, est-ce que nous nous préoccuperions encore des opinions des hommes?

PHÈDRE

Plaisante question! Mais rapporte ta tradition.

SOCRATE

J'ai donc ouï dire qu'il y avait près de Naucratis en Egypte un des anciens dieux de ce pays à qui les Egyptiens ont dédié l'oiseau qu'ils appellent ibis; çe démon porte le nom de Theuth; c'est lui qui inventa la numération et le calcul, la géométrie et l'astronomie, le trictrac et les dés et enfin l'écriture. Thamous régnait alors sur toute la contrée, dans la grande ville de la haute Egypte que les Grecs nomment Thèbes l'égyptienne, comme ils appellent Ammon le dieu-roi Thamous. Theuth vint trouver le roi; il lui montra les arts qu'il avait inventés et lui dit qu'il fallait les répandre parmi les Egyptiens. Le roi demanda à quel usage chacun pouvait servir; le dieu le lui expliqua et selon qu'il lui paraissait avoir tort ou raison, le roi le blâmait ou le louait. On dit que Thamous fit à Theuth beaucoup d'observations pour ou contre chaque art. Il serait trop long de les relever. Mais quand on en vint à l'écriture : « L'enseignement de l'écriture, ô roi, dit Theuth, accroîtra la science et la mémoire des Egyptiens; car j'ai trouvé là le remède de l'oubli et de l'ignorance. » Le roi répondit : « Ingénieux Theuth, tel est capable de créer les arts, tel autre de juger dans quelle mesure ils porteront tort ou profit à ceux qui doivent les mettre en usage : c'est ainsi que toi, père de l'écriture, tu lui attribues bénévolement une efficacité contraire à celle dont elle est capable; car elle produira l'oubli dans les âmes en leur faisant négliger la mémoire : confiants dans l'écriture, c'est du dehors, par des caractères étrangers, et non plus du dedans, du fond d'eux-mêmes qu'ils chercheront à susciter leurs souvenirs; tu as trouvé le moyen, non pas de retenir, mais de renouveler le souvenir, et ce que tu vas procurer à tes disciples, c'est la présomption qu'ils ont la science, non la science elle-même; car, quand ils auront beaucoup lu sans apprendre, ils se croiront très savants, et ils ne seront le plus souvent que des ignorants de commerce incommode, parce qu'ils se croiront savants sans l'être. »

PHÈDRE

Il t'en coûte peu, Socrate, à faire des discours égyptiens; tu en ferais, si tu voulais, de n'importe quel pays du monde.

SOCRATE

Mon ami, les prêtres du temple de Zeus à Dodone ont affirmé que c'est d'un chêne que sortirent les premières divinations. Les gens de ce temps-là, qui n'étaient pas savants comme vous, jeunes gens, écoutaient fort bien dans leur simplicité un chêne ou une pierre, si le chêne ou la pierre disaient la vérité; mais toi, tu veux savoir sans doute le nom de l'orateur et son pays d'ori-

gine, et tu ne te contentes pas de savoir si ce qu'il dit
est vrai ou faux.

PHÈDRE

Tu as raison de me reprendre, et je me range sur l'écriture à l'avis du Thébain.

SOCRATE

LX. — Ainsi donc celui qui pense laisser après lui un
art consigné dans un livre, comme celui qui le recueille
dans la pensée qu'il sortira de cette écriture un enseignement clair et durable, fait preuve d'une grande simplicité,
et il ignore à coup sûr l'oracle d'Ammon, s'il pense que
des discours écrits sont quelque chose de plus qu'un
mémento qui rappelle à celui qui les connaît déjà les
choses traitées dans le livre.

PHÈDRE

C'est très juste.

SOCRATE

C'est que l'écriture, Phèdre, a un grave inconvénient,
tout comme la peinture. Les produits de la peinture sont
comme s'ils étaient vivants; mais pose-leur une question,
ils gardent gravement le silence. Il en est de même des
discours écrits. On pourrait croire qu'ils parlent en personnes intelligentes, mais demande-leur de t'expliquer
ce qu'ils disent, ils ne répondront qu'une chose, toujours
la même. Une fois écrit, le discours roule partout et passe
indifféremment dans les mains des connaisseurs et dans
celles des profanes, et il ne sait pas distinguer à qui il
faut, à qui il ne faut pas parler. S'il se voit méprisé ou
injurié injustement, il a toujours besoin du secours de
son père; car il n'est pas capable de repousser une attaque
et de se défendre lui-même.

PHÈDRE

C'est également très juste.

SOCRATE

Mais si nous considérions un autre genre de discours,
frère germain de l'autre, et si nous examinions comment
il naît, et combien il est meilleur et plus efficace que lui?

PHÈDRE

Quel discours? et comment naît-il?

SOCRATE

Celui qui s'écrit avec la science dans l'âme de celui qui étudie, qui est capable de se défendre lui-même, qui sait parler et se taire suivant les personnes.

PHÈDRE

Tu veux parler du discours de celui qui sait, du discours vivant et animé, dont le discours écrit n'est à proprement parler que l'image?

SOCRATE

LXI. — C'est cela même; mais, dis-moi, si un laboureur sensé avait des graines auxquelles il tînt et dont il voulût avoir des fruits, irait-il sérieusement les semer en été dans les jardins d'Adonis [137], pour avoir le plaisir de les voir fleurir en huit jours, et, s'il le faisait, ne serait-ce pas en manière d'amusement et à l'occasion d'une fête? Mais pour celles auxquelles il s'intéresserait sérieusement, ne suivrait-il pas les règles de l'agriculture, semant en terrain convenable, et se contentant de voir ses plantes arriver à maturité huit mois après?

PHÈDRE

C'est bien ce qu'il ferait, Socrate, soit pour des semailles sérieuses, soit pour des semailles d'agrément comme tu disais.

SOCRATE

Et l'homme qui a la science du juste, du beau et du bien sera-t-il, selon nous, moins sensé que le laboureur dans l'emploi de ses grains?

PHÈDRE

Non certes.

SOCRATE

Il n'ira donc pas sérieusement écrire ce qu'il sait dans l'eau [138], il ne le sèmera pas avec l'encre et la plume en des discours incapables de parler pour se défendre eux-mêmes, incapables même d'enseigner suffisamment la vérité?

PHÈDRE

Ce n'est pas probable.

SOCRATE

Assurément non; mais ce sera sans doute pour son

amusement qu'il sèmera dans les jardins de l'écriture
et qu'il écrira, si jamais il écrit. Amassant ainsi un
trésor de souvenirs pour lui-même, quand la vieillesse
oublieuse sera venue, et pour tous ceux qui marcheront
sur ses traces, il prendra plaisir à voir pousser les plantes
délicates de ses jardins, et, tandis que les autres recher-
cheront d'autres divertissements et s'adonneront à des
banquets et autres passe-temps du même genre, lui,
répudiant ces plaisirs, passera sans doute sa vie dans
l'amusement dont je viens de parler [139].

PHÈDRE

C'est un bien beau passe-temps, Socrate, à côté des
mesquines distractions des autres, que celui de l'homme
capable de se jouer en des discours et de composer des
allégories sur la justice et les autres belles choses dont
tu as parlé.

SOCRATE

C'est bien vrai, mon cher Phèdre; mais il est, à mon
avis, une manière bien plus belle encore de s'occuper de
ces choses : c'est, quand on a trouvé une âme qui s'y
prête, d'y planter et d'y semer avec la science, selon les
règles de la dialectique, des discours capables de se
défendre eux-mêmes et aussi celui qui les a semés, et
qui, au lieu de rester stériles, portent une semence qui
donnera naissance en d'autres âmes à d'autres discours,
lesquels assureront à la semence toujours renouvelée
l'immortalité, et rendront ses dépositaires aussi heureux
qu'on peut l'être sur terre.

PHÈDRE

Oui, cette manière est en effet beaucoup plus belle.

SOCRATE

LXII. — Ces principes admis, nous pouvons à présent,
Phèdre, nous prononcer sur la question.

PHÈDRE

Laquelle ?

SOCRATE

Celle que nous voulions approfondir et qui nous a
conduits au point où nous sommes. Nous voulions examiner si Lysias méritait des reproches pour avoir écrit
des discours, et quels sont en général les discours qui

relèvent où ne relèvent pas de l'art. Il me semble que nous avons suffisamment expliqué ce qui est conforme à l'art et ce qui ne l'est pas.

PHÈDRE

C'est ce qu'il m'a semblé aussi; mais rafraîchis un peu mes souvenirs.

SOCRATE

Tant qu'on ne connaîtra pas la vérité sur chacune des choses dont on parle ou écrit, qu'on ne sera pas capable de définir chaque chose en elle-même, qu'on ne saura pas, après l'avoir définie, la diviser en espèces jusqu'à ce qu'on arrive à l'indivisible; tant qu'on n'aura pas de même pénétré la nature de l'âme, reconnu l'espèce de discours qui convient à chaque nature, et disposé et ordonné son discours en conséquence, offrant à une âme complexe des discours complexes, ajustés de tout point à ses exigences, et à une âme simple des discours simples, jamais on ne sera capable de manier l'art oratoire aussi parfaitement que le comporte la nature du discours, ni pour enseigner, ni pour persuader, comme nous l'avons fait voir dans tout ce qui précède.

PHÈDRE

C'est absolument ce qui nous a paru.

SOCRATE

LXIII. — Et maintenant, quant à savoir s'il est beau ou honteux de prononcer et d'écrire des discours et dans quel cas l'on a tort ou raison d'en faire un grief à l'auteur, ce que nous avons dit tout à l'heure ne suffit-il pas à montrer...

PHÈDRE

Quoi?

SOCRATE

Que si Lysias ou tout autre a jamais écrit ou vient à écrire sur une question d'intérêt privé ou public, en faisant des lois et en composant à cette occasion un écrit politique, et s'il pense y avoir mis une grande solidité et une grande clarté, ses écrits ne rapporteront à leur auteur que de la honte, qu'on en convienne ou non; car son ignorance absolue du juste et de l'injuste, du mal et du bien, est une véritable honte à laquelle il ne saurait

échapper, fût-il couvert des applaudissements universels
de la multitude.

PHÈDRE

Il ne le saurait en effet.

SOCRATE

Mais celui qui pense qu'un discours écrit, quel qu'en
soit le sujet, est nécessairement à beaucoup d'égards un
badinage, et que jamais discours en vers ou en prose,
écrit ou prononcé, ne mérite qu'on en fasse grand cas,
non plus que de ces discours que les rhapsodes récitent
pour captiver les auditeurs, sans les admettre à discuter
ni les instruire, et qu'en réalité les meilleurs discours ne
sont que des mémentos pour ceux qui savent; qu'au
contraire les discours faits pour être étudiés, prononcés
pour l'instruction des auditeurs et véritablement écrits
dans leur âme, avec le juste, le beau et le bien pour sujet,
sont les seuls qui soient clairs, solides et dignes de consi-
dération; qu'il faut regarder de tels discours comme les
fils légitimes de leur auteur, d'abord ceux qui vivent en
lui et sont le produit de son esprit, puis ceux qui, fils ou
frères de ceux-là, sont nés les uns dans telles âmes, les
autres dans telles autres, sans démériter, cet homme-là,
s'il n'a cure des autres sortes de discours, pourrait bien
être celui que toi et moi nous souhaiterions d'être.

PHÈDRE

Pour ma part je le souhaite de tout mon cœur et je le
demande aux dieux.

SOCRATE

LXIV. — Finissons : c'est assez nous jouer sur l'art de
la parole, et toi, va retrouver Lysias et dis-lui qu'étant
descendus tous deux au ruisseau et à la retraite des
nymphes nous avons entendu des discours où l'on faisait savoir à Lysias et à tous ceux qui composent des
discours, à Homère et à tous ceux qui ont composé des
poèmes chantés ou non chantés, et enfin à Solon et à tous
les orateurs politiques qui, sous le nom de lois, ont
rédigé des écrits, que si, en composant ces ouvrages, ils
ont connu la vérité, s'ils peuvent en venir à la discussion
et défendre ce qu'ils ont écrit, et si l'orateur en eux est
capable de faire pâlir l'auteur, ce n'est point leur activité
d'écrivain, mais le souci de la vérité qui leur vaudra leur
nom.

PHÈDRE

Quels sont les noms que tu leur donnes?

SOCRATE

Le nom de sage, Phèdre, me semble bien sublime et ne convient qu'à Dieu; celui d'ami de la sagesse ou tel autre semblable leur conviendrait mieux et s'accorderait mieux à leur faiblesse.

PHÈDRE

C'est très juste.

SOCRATE

En revanche, celui qui n'a rien en lui de plus précieux que ce qu'il a composé ou écrit à force de temps, en mettant son esprit à la torture, en ajoutant et retranchant pièce à pièce, tu l'appelleras, comme il le mérite, poète, faiseur de discours, rédacteur de lois.

PHÈDRE

Oui.

SOCRATE

Va donc redire cela à ton ami.

PHÈDRE

Mais toi, que vas-tu faire? car ton ami non plus ne doit pas être oublié.

SOCRATE

Quel ami?

PHÈDRE

Le bel Isocrate; que lui diras-tu, Socrate, et quel nom lui donnerons-nous?

SOCRATE

Isocrate est encore jeune, Phèdre; cependant je veux te dire ce que j'augure de lui.

PHÈDRE

Voyons.

SOCRATE

Il me semble qu'il est trop bien doué par la nature pour que l'on compare son éloquence à celle de Lysias, et qu'il est aussi fait d'une étoffe plus noble. Aussi je ne m'étonnerais pas si, avec l'âge, dans le genre de discours qu'il cultive à présent, il prenait sur tous ceux qui ont

jamais mis la main à un discours plus d'avantage qu'un
homme fait n'en a sur un enfant, et, si cet art ne lui
suffisait plus, qu'un instinct divin ne le poussât à des
œuvres plus hautes; car il a dans l'esprit l'amour de la
sagesse [140]. Voilà ce que je rapporterai de la part des
déités de ce lieu à mon bien-aimé Isocrate; de ton côté,
répète à ton cher Lysias ce que nous avons dit.

PHÈDRE

Je le ferai; mais partons, puisque la chaleur s'est
adoucie.

SOCRATE

Il serait bien de faire une prière avant de partir.

PHÈDRE

C'est vrai.

SOCRATE

Cher Pan, et vous, divinités de ces lieux, donnez-moi
la beauté intérieure, et que l'extérieur soit en harmonie
avec l'intérieur; que le sage me paraisse toujours riche,
que j'aie juste autant d'or que le sage seul peut en emporter avec lui. Avons-nous quelque autre chose à demander,
Phèdre? Pour moi, je n'ai rien à ajouter à ma prière.

PHÈDRE

Fais les mêmes vœux pour moi; car tout est commun
entre amis.

SOCRATE

Allons-nous-en.

NOTES

NOTES

SUR LE BANQUET

1. Apollodore, disciple de Socrate. Dans le *Phédon*, il s'abandonne à des plaintes sans mesure sur la perte de Socrate. Xénophon parle de son zèle et dit qu'il était passionné pour Socrate, mais simple d'esprit. Platon le nomme dans l'*Apologie* parmi ceux qui offrirent à Socrate leur caution pour une amende éventuelle.

2. Agathon avait quitté Athènes pour la cour d'Archélaos, roi de Macédoine.

3. Aristodème le Petit. Voyez dans les *Mémorables* de Xénophon l'entretien que Socrate eut avec lui sur la divinité. Le dème de Kydathénæon, dont il était originaire, appartenait à la tribu Pandionide.

4. La forme originale du proverbe semble avoir été αὐτόματοι ἀγαθοὶ ἀγαθῶν ἐπὶ δαῖτας ἴασι. S'il en est ainsi, les mots διαφθείρωμεν μεταβάλλοντες n'ont aucun sens, et il faut recourir à l'ingénieuse correction de Lachmann Ἀγάθων', pour Ἀγάθωνι (chez Agathon), qui donne un jeu de mots intraduisible. Mais le proverbe avait été travesti par Eupolis en αὐτόματοι ἀγαθοὶ δειλῶν ἐπὶ δαῖτας ἴασιν, et il est possible que Socrate ait pris ou affecté de prendre la parodie d'Eupolis pour le proverbe original.

5. Homère, *Iliade*, II, 468 : « Ménélas à la voix puissante vint de lui-même chez lui. » Ce n'est pas précisément Homère, c'est Apollon qui appelle Ménélas un faible soldat (*Il.*, XVIII, 588).

6. *Iliade*, X, 226 : « En allant à deux, l'un trouve avant l'autre ce qui peut être utile. » Le texte grec d'Homère est :

Σύν τε δύ' ἐρχομένω καί τε πρὸ ὃ τοῦ ἐνόησεν
Ὅππως κέρδος εἴη.

Platon a changé πρὸ ὃ τοῦ en πρὸ ὁδοῦ (le long de la route), parce que πρὸ ὃ τοῦ (l'un avant l'autre) ne s'ajustait pas à βουλευσόμεθα (nous délibérerons).

7. Si l'on met en contact deux vases, l'un plein d'eau,

l'autre vide, on peut faire passer l'eau du vase plein dans le vide au moyen d'un fil de laine dont un bout trempe dans l'eau du vase plein, tandis que l'autre pend dans le vase vide : c'est une application de la loi de capillarité.

8. Le dîner fini, on distribuait des couronnes aux convives, on faisait au son de la flûte trois libations, la première à Zeus Olympien et aux autres dieux de l'Olympe, la deuxième aux héros et la troisième à Zeus Sôter ; ensuite, on chantait un péan ; enfin on apportait un cratère, où les serviteurs remplissaient les coupes des convives.

9. Euripide a écrit deux pièces de ce nom : *Mélanippe la sage, Mélanippe la captive.* C'est à un vers de la première qu'il est fait allusion ici : οὐκ ἐμὸς ὁ μῦθος, ἀλλ' ἐμῆς μητρὸς πάρα : *ce que je dis n'est pas de moi, je le tiens de ma mère.*

10. On appelait péans des odes composées en l'honneur d'Apollon et accompagnées de la flûte, tandis que les hymnes étaient des odes chantées avec accompagnement de cithare.

11. Prodicos est l'auteur de l'allégorie célèbre d'*Héraclès entre le Vice et la Vertu,* rapportée par Xénophon dans les *Mémorables,* II, 1.

12. Hésiode, *Théogonie,* 117-118.

13. Acousilaos d'Argos, logographe, écrivit en dialecte ionien plusieurs livres de généalogies. Il fleurit vers ~ 475.

14. Homère, *Iliade,* X, 482 : τῷ δ' ἔμπνευσε μένος γλαυκῶπις 'Αθήνη : *Athènè aux yeux étincelants lui (à Diomède) souffla la vaillance,* et XV, 262 : ὡς εἰπὼν ἔμπνευσε μένος μέγα ποιμένι λαῶν : *ayant ainsi parlé, Apollon souffla un grand courage au pasteur de peuples* (Hector).

15. Voir Euripide, *Alceste,* 15 sq. : *Il éprouva successivement tous ses amis, et son père, et sa vieille mère qui l'avait enfanté ; il ne trouva que sa femme qui voulût mourir pour lui et renoncer à la lumière.*

16. Il est dit dans la chanson d'Harmodios et d'Aristogiton : « *Bien cher Harmodios, tu n'es pas mort : tu es, dit-on, dans les îles des Bienheureux, là même où sont Achille aux pieds rapides et Diomède, fils de Tydée.* »

17. Ce n'est pas exactement ce que dit Homère. Thétis prédit seulement (*Iliade,* XVIII, 94) qu'Achille mourra peu après Hector. C'est Achille lui-même qui dit (*Il.,* IX, 414) qu'il parviendra à une grande vieillesse s'il renonce à la guerre et retourne chez lui.

18. Eschyle, *Myrm. fr.* 135-136.

19. Homère, *Iliade,* XI, 786.

20. Il a donc moins de peine et moins de mérite à se sacrifier.

21. Il y avait à Athènes deux temples d'Aphrodite Ourania, l'un à Colônos Agoraios, près du temple d'Hèphaïstos, avec une statue de la déesse en marbre de Paros de la main de Phidias; l'autre aux Jardins (Κῆποι), au sud-est d'Athènes, avec une statue de la déesse, qui était l'œuvre d'Alcamène, élève de Phidias.

22. Aphrodite Pandèmos avait son sanctuaire sur la paroi sud de l'Acropole, au-dessous du temple de Nikè (la Victoire). C'est à ce temple que Solon rattacha la réglementation de la prostitution à Athènes.

23. Je supprime ici les mots : « et cet amour est celui des garçons », qui sont une glose.

24. Certains critiques, considérant que Lacédémone était une des cités de la Grèce où l'amour des garçons était le plus en faveur, ont pensé qu'il y avait ici une erreur de copiste et qu'il fallait transposer ces mots « à Lacédémone » dans la phrase suivante et mettre Lacédémone avec l'Elide et la Béotie.

25. On trouvera dans cette longue phrase, dont j'ai gardé la contexture, un exemple de l'aisance avec laquelle Platon manie le style périodique.

26. Expression d'Homère.(*Iliade*, II, 71), en parlant du songe d'Agamemnon.

27. Eryximaque reprend la doctrine des anciens philosophes qui prétendaient que les éléments discordants qui composent l'univers avaient été conciliés et ordonnés par la concorde et l'amitié. Cf. Aristophane, *Oiseaux*, 695 sqq. « La race des dieux n'exista point avant qu'Eros eût mêlé toutes choses. Quand elles furent mêlées les unes aux autres, on vit naître le ciel, l'Océan, la terre et la race immortelle de tous les dieux bienheureux. » Cf. aussi Aristote, *Métaph.*, I, 4.

28. Hippocrate (*De Flat.*, p. 296, éd. Foês) définit ainsi la médecine : « La médecine est addition et retranchement, retranchement de ce qui est par excès, addition de ce qui fait défaut, et celui qui pratique le mieux ces deux choses est le meilleur médecin. »

29. Il désigne les deux poètes de la compagnie, Aristophane et Agathon.

30. « Tout, en se divisant, se réunit, comme l'harmonie de l'archet et de la lyre. » Héraclite, *frg.* 45 (Bywater). A cette image de la lyre Héraclite joignait encore celle de l'arc, où la corde tendue et détendue s'oppose et s'unit tour à tour au demi-cercle qui la soutient. V. Fouillée, *Histoire de la philosophie, Héraclite.*

31. Voir *Odyssée*, 307-320, où Homère raconte comment Otos et Ephialte essayèrent d'escalader le ciel et furent tués par Apollon.

32. Cf. Varron, *De Re rustica*, I, 59 : (putant manere) sorba quidam dissecta et in sole macerata, ut pira, et sorba per se ubicumque sint posita, in arido facile durare. »

33. *Couper des œufs avec des crins* était une expression proverbiale. Etait-ce un jeu ? Etait-ce une manière de divination ? Les Orphiques pratiquaient la divination par l'examen des œufs (ὠοσκοπία). Peut-être les coupaient-ils en deux.

34. Les cigales font cela au moyen d'un aiguillon que la femelle a par-derrière et qui égale en grosseur le tiers de la bête. Elles percent la terre avec cet aiguillon, qui s'ouvre alors pour laisser tomber les œufs dans le sable, où le soleil les couve.

35. La tessère d'hospitalité consistait en un osselet (ἀστράγαλον) partagé en deux parties. On en gardait une, on donnait l'autre à son hôte au moment du départ. Le rapprochement des deux moitiés permettait plus tard aux mêmes personnes ou à leurs descendants de se reconnaître et de renouer les liens de l'hospitalité.

36. Cf. Xénophon, *Helléniques*, V, 2, 1. C'est en ~ 385 que les Lacédémoniens, ayant détruit la ville et les remparts de Mantinée, forcèrent les habitants à s'établir dans des bourgs dispersés. Il y a là un audacieux anachronisme, puisque le dialogue est censé avoir lieu en ~ 416.

37. Les jetons coupés en deux (λίσπαι) servaient, comme les tessères, de signes de reconnaissance pour les hôtes et pour leurs familles.

38. Hésiode, *Théogonie*, 176 sqq., 746 sqq. — Les fragments de Parménide ne contiennent aucune de ces histoires.

39. Cf. *Euthyphron*, 6 a : Les hommes croient que Zeus a enchaîné son père, parce qu'il dévorait ses enfants sans cause légitime et que ce père, lui aussi, avait mutilé le sien pour d'autres raisons du même genre.

40. Homère, *Iliade*, XIX, 92-93.

41. Ces mots « reines de la cité » sont probablement une citation d'Alcidamas, rhéteur de l'école de Gorgias... Cf. Aristote, *Rhét.*, III, 1406 a. Pindare appelle aussi la loi la reine des hommes et des dieux.

42. C'est un mot d'Euripide, tiré de la *Sténéboée fr.* 663 (Nauck) : « Eros fait un poète d'un homme jusque-là étranger aux Muses. »

43. Homère, *Odyssée*, XI, 633-635 : « La peur blême me

saisissait : la vénérable Perséphone n'allait-elle pas m'envoyer de chez Hadès la tête de Gorgo, le terrible monstre ? »

44. Citation d'Euripide, *Hippolyte*, v. 612. Cf. Cicéron, *De Officiis*, III, 29 : « Juravi lingua, mentem injuratam gero. »

45. Le même mot grec Ἔρως désigne à la fois le dieu et le sentiment de l'amour. C'est de la confusion de ces deux idées que vient l'erreur d'Agathon sur le dieu. Afin de reproduire l'équivoque grecque, nous désignerons ici le dieu Eros par son nom français, l'Amour.

46. Certains ont prétendu que Diotime était un personnage de pure invention. Mais on a remarqué que Platon n'introduit dans ses dialogues que des personnages réels. Diotime a sans doute existé, bien que les discours qu'elle tient ici soient de l'invention de Platon, comme le discours d'Aspasie dans le *Ménexène*. Nous avons sur elle deux témoignages anciens, l'un de Proclus, qui la met au nombre des Pythagoriciens, l'autre du scholiaste d'Aristide, qui raconte qu'elle fut prêtresse de Zeus lycien, adoré en Arcadie.

47. La méthode de Socrate, la dialectique, a toujours besoin d'interlocuteurs pour rechercher et contrôler la vérité.

48. On pense que ces idées sur les démons sont empruntées à la doctrine des Orphiques.

49. Poros signifie Ressource.

50. Mètis, c'est la Prudence.

51. Pénia, c'est la Pauvreté.

52. Le mot poésie, au sens original, signifie création.

53. La Moire ou Parque n'est pas seulement la déesse de la mort, c'est aussi la déesse de la naissance ; voilà pourquoi son nom est lié à celui d'Eileithyie, déesse de l'accouchement.

54. Platon prévient ici l'objection qu'une immortalité qui consiste dans une succession d'êtres toujours nouveaux et non identiques entre eux mérite à peine le nom d'immortalité. La perpétuité du même être dans le cours de sa vie n'est elle-même qu'une succession d'états différents sans que l'on conteste pour cela l'identité de cet être.

55. L'initiation comprenait trois degrés : la purification (καθαρμός), l'initiation préliminaire (ἡ τῆς τελετῆς παράδοσις) et la contemplation (ἐποπτεία).

56. Cet organe approprié est l'esprit.

57. Voyez 205 e : « On dit parfois que chercher la moitié de soi-même, c'est aimer. »

58. J'ai adopté ici la correction de Hermann ἀνειπών pour ἐάν εἴπω, leçon des manuscrits, qui s'explique difficilement.

59. Le cotyle valait 27 centilitres.

60. Citation d'Homère, *Iliade*, XI, 514.

61. Les artistes ornaient leurs ateliers de grandes boîtes en forme de Silènes, où ils mettaient leurs plus belles statues.

62. Platon confond ici les satyres et les silènes. La différence qui existait à l'origine entre les uns et les autres s'était effacée depuis longtemps. — Hérodote appelle Marsyas un silène, tandis que Platon l'appelle un satyre.

63. Aux temps classiques on jouait encore dans les fêtes des airs de flûte fort anciens, qui passaient pour être l'œuvre d'Olympos; ces airs remuaient profondément les cœurs.

64. Il y avait deux formes du proverbe : l'une, οἶνος καὶ ἀλήθεια « vin et vérité »; l'autre, οἶνος καὶ παῖδες ἀληθεῖς, « le vin et les enfants disent la vérité ».

65. Allusion à un vers orphique (éd. Herm., p. 447) : Φθέγξομαι οἷς θέμις ἐστί· θύρας δ' ἐπίθεσθε, βέβηλοι (je parlerai pour ceux qui ont le droit de m'entendre; profanes, mettez des portes à vos oreilles).

66. Allusion à l'échange que Diomède et Glaucos font de leurs armes, au chant VI, v. 234 et suiv. de l'*Iliade* : « Alors Zeus, fils de Cronos, ôta la raison à Glaucos; car il échangea avec Diomède, fils de Tydée, son armure, de l'or pour de l'airain, le prix d'une hécatombe pour celui de neuf bœufs. »

67. Cf. Quintilien, *Inst. or.*, VIII, 4, 23 : « Nec mihi videtur in Symposio Plato, cum Alcibiadem confitentem de se quid e Socrate pati voluerit, narrat, ut illum calparet, haec tradidisse, sed ut Socratis invictam continentiam ostenderet, quae corrumpi speciosissimi hominis tam obvia voluntate non posset. »

68. Potidée essaya en ~ 435 de secouer le joug d'Athènes; elle fut réduite en ~ 430, après cinq ans de guerre.

69. Homère, *Odyssée*, IV, 242 : c'est Hélène qui parle ainsi d'Ulysse.

70. Fameuse bataille (~ 424), où les Athéniens, commandés par Hippocrate, furent battus par les Thébains, commandés par Pagondas.

71. *Nuées*, 362 : ὅτι βρενθύει τ' ἐν ταῖσιν ὁδοῖς καὶ τὠφθαλμὼ παραβάλλεις.

NOTES
SUR LE PHÈDRE

72. Acoumène, père d'Eryximaque, l'ami de Phèdre (voir le *Banquet*), était un médecin de la famille des Asclépiades.

73. Lysias habitait le Pirée.

74. Epicrate était un démagogue de réputation douteuse. Il était l'ami de Lysias.

75. La Morychienne tirait son nom de Morychos, personnage connu pour son intempérance.

76. La première isthmique de Pindare commence ainsi : « O ma mère, Thèbes au bouclier d'or, je mettrai l'intérêt de ta gloire au-dessus de toute autre affaire. »

77. *Civil* est comme le grec ἀστεῖος un mot à double sens : il veut dire, *poli, aimable* et *utile aux citoyens*.

78. Socrate, qui a peu d'estime pour la démocratie athénienne, raille les goûts démocratiques de Lysias.

79. La distance d'Athènes à Mégare est d'environ trente kilomètres.

80. D'après le scoliaste, Hérodicos était médecin. Grand partisan de la gymnastique, il faisait ses exercices hors des murs. Il commençait par une petite distance, venait toucher au mur, et s'en retournait.

81. Orythye, fille du roi Erechthée, jouant avec les nymphes au bord de l'Ilissos, fut enlevée par Borée et transportée en Thrace. De là vient la tradition que Borée, en raison de cette alliance, aurait secouru les Athéniens dans la guerre contre les barbares. Aussi lui dédia-t-on un autel au bord de l'Ilissos.

82. Agra, surnom d'Artémis; c'est le nom de l'endroit où on l'honorait.

83. Platon vise Anaxagore et son ami Métrodoros, qui expliquaient la mythologie par la physique. Ce système d'explication fut repris par les Stoïciens; mais les Platoniciens le combattirent toujours comme ils combattirent le système d'interprétation historique d'Evhémère. Pour

eux, ils expliquaient la mythologie et la nature elle-même par la métaphysique.

84. Pharmacée est le nom d'une source, et aussi de la nymphe qui l'habitait.

85. Typhon, fils de la Terre et du Tartare, né en Sicile, unissait à la forme humaine les formes d'autres animaux ; Socrate joue sur le nom de Typhon en le rapprochant de ἐπιτεθυμμένον, *aveuglé*. Il considère le mot Typhon comme tiré de τύφω, *enfumer*, *aveugler*.

86. Cicéron a imité ce passage dans le *De Oratore*, I, 7 : « Cur non imitamur, Crasse, Socratem illum qui est in Phædro Platonis ? nam me hæc tua platanus admonuit, quæ non minus ad opacandum hunc locum patulis est diffusâ ramis quam illa cujus umbram secutus est Socrates, quæ mihi videtur non tam ipsa aquula quæ describitur quam Platonis oratione crevisse ? » Cf. aussi *De Legibus*, II, 3.

87. Denys d'Halicarnasse et Hermias attestent que ce discours est de Lysias lui-même ; mais la critique moderne le considère plutôt comme un pastiche des exercices de rhétorique que Lysias avait sans doute publiés. Platon, lâchant la bride à sa verve moqueuse, s'égaye souvent à parodier les sophistes, et il les imite à s'y méprendre. Au reste, ce n'est pas l'orateur judiciaire, c'est le rhéteur qu'il persifle ici en Lysias.

88. Quand les archontes entraient en charge, il juraient d'observer les lois, sans se laisser corrompre par des présents. Si l'un d'eux manquait à son serment, il devait consacrer à Delphes, comme amende, sa propre statue en or.

89. C'était une statue colossale de Zeus, offerte par les enfants de Périandre, fils de Cypsélos, pour avoir recouvré le souverain pouvoir à Corinthe.

90. Aulu-Gelle, *Nuits att.*, XIX, 9 : « Permittite mihi, quæso, operire pallio caput, quod in quadam parum pudica oratione Socratem fecisse aiunt. »

91. *Ligies* signifie *à la voix aiguë*.

92. *Ligyens* est le nom grec des Liguriens. Hermias rapporte qu'ils étaient tellement bon musiciens que, quand ils allaient au combat, une partie de l'armée chantait, tandis que l'autre combattait. Mais il n'y a sans doute ici entre l'adjectif λιγύς et le nom propre Λίγυς qu'un de ces rapprochements étymologiques de fantaisie, tels qu'on en trouve souvent dans Platon.

93. Platon dérive le mot ἔρως, *amour*, d'ἐρρωμένως, *fortement*. On voit que la science étymologique n'était pas encore soupçonnée de son temps.

94. Allusion au jeu de l'écaille (ὀστρακίνδα παιδία, où deux troupes d'enfants se poursuivaient tour à tour, selon qu'une écaille, blanche d'un côté, noire de l'autre, jetée en l'air, retournait blanc ou noir.

95. Les derniers mots du discours de Socrate forment en effet un hexamètre.

96. Le grec dit l'heure *stationnaire* pour l'heure de la grosse chaleur.

97. Un des personnages du *Phédon*. Il était de Thèbes comme son inséparable ami Cébès, et, comme lui, disciple de Philolaos.

98. Manière proverbiale de parler pour annoncer quelque chose de bon.

99. Le démon de Socrate n'intervient pas pour lui dicter des décisions, mais pour l'empêcher d'en prendre de mauvaises.

100. Ibycos de Rhégium, poète lyrique, fleurit au VIᵉ siècle avant J.-C. à la cour de Polycrate, tyran de Samos. Il imita Stésichore, mais il appliqua l'hymne, non plus à l'éloge des héros, comme Stésichore, mais à l'éloge des hommes, ses contemporains. Ce fut l'*encomion*, qui eut un grand succès.

101. Stésichore, né à Himère, en Sicile, vécut dans la seconde moitié du ~ VIIᵉ siècle et la première du ~ VIᵉ. Poète original et puissant, il inventa la triade ou groupe de trois strophes étroitement unies (strophe, antistrophe, épode) et composa des hymnes où il déroulait en vastes tableaux les aventures des héros épiques. On n'a de lui que des fragments et des titres, comme *l'Orestie*, *la Chasse au sanglier*, *Hélène* et la célèbre *Palinodie*.

102. Cf. Cic., *De Div.*, I, 1, *in.* : « Itaque ut alia nos melius quam Græci, sic huic præstantissimæ rei (præsensioni et scientiæ rerum futurarum) nomen nostri a divis, Græci, ut Plato interpretatur, a furore duxerunt.

103. Cette façon de concevoir l'étymologie n'est pas un jeu : Platon parle sérieusement. Si savant qu'il fût, il ne pouvait soupçonner les lois rigoureuses d'une science qui était encore à créer.

104. Les anciens Grecs ne connaissaient pas l'ôméga.

105. C'est la théorie soutenue dans l'*Ion*.

106. Le texte porte : « il ne naîtrait plus d'un principe », ce qui donne une conclusion vicieuse. J'adopte la correction de Muret οὐκ ἄν ἀρχὴ γίγνοιτο, qui est d'ailleurs la leçon du *Vindobonensis* 89 et celle qu'a suivie Cicéron, qui a traduit tout ce chapitre dans les *Tusculanes*, I, 23. Cf. aussi *De Rep.*, VI, 25-26.

107. Adrastée, épithète de Némésis, signifie l'inévitable.

108. Le mot ἵμερος (*désir*) viendrait d'après Platon de la racine ι (de ἱέναι, *aller*), de μέρος, partie, et de ῥοή courant. Cf. *Cratyle*, 420 ab.

109. Il y a un jeu de mots lascif sur Πτέρως, qui vient de πτεροῦν, *donner des ailes* et au figuré *soulever le désir*, et πτερόφοιτος, qui marque aussi l'emportement du désir.

110. Aristote voit dans un cou trop court la marque d'un caractère astucieux, et dans un cou trapu celle de la stupidité et de la violence.

111. Les gens camus sont débauchés, d'après le philosophe Polémon et d'autres. Les gens aux oreilles velues passaient aussi pour débauchés.

112. Les anciens croyaient que les maladies des yeux se communiquaient par le simple regard.

113. Les trois révolutions de mille ans qui sont le privilège des âmes philosophiques sont comparées aux trois épreuves des combats olympiques. Le lutteur n'y était en effet proclamé vainqueur qu'après avoir terrassé trois fois son adversaire, d'où la locution proverbiale τὸ τρίτον πάλαισμα.

114. Polémarque, frère de Lysias, figure dans *la République*. Il fut mis à mort par les Trente Tyrans.

115. Voici l'explication la plus probable de ce passage obscur. Comme les navigateurs appellent par antiphrase coude charmant le coude occidental du Nil, long et difficile à remonter, ainsi les politiques affectent de mépriser l'art d'écrire des discours qu'en réalité ils estiment infiniment. D'ailleurs un certain nombre de critiques considèrent comme une glose les mots : *qu'il vient du grand coude du Nil*, et traduisent : tu ne penses pas à *coude charmant*, c'est-à-dire au dicton : *Ils sont trop verts*.

116. Allusion au v. 361 du chant II de *l'Iliade* : « *Il ne faudra pas dédaigner le mot que je vais dire.* »

117. Ces enfants sont les discours qu'il a fait prononcer.

118. Thrasymaque de Chalcédoine est un des interlocuteurs de Socrate dans *la République* de Platon. C'était un maître de rhétorique. Il s'attacha surtout à faire sentir l'importance du pathétique dans l'éloquence, soit dans des compositions oratoires dont nous avons quelques fragments, soit dans son *Traité de rhétorique*, soit surtout dans ses *Commisérations* (Ἔλεοι).

119. Théodore de Byzance, son contemporain plus jeune, introduisit des distinctions nouvelles dans la composition du discours et des procédés de raisonnement qui n'avaient pas encore été analysés. Il eut assez de répu-

tation pour faire ombrage à Lysias et le décider à chercher la gloire dans une autre voie, celle de l'éloquence judiciaire.

120. Zénon d'Elée, qui possédait une science universelle comme Palamède. Socrate s'amuse à déguiser des modernes, Gorgias, Thrasymaque et Théodore de Byzance, Zénon sous les noms antiques d'orateurs célèbres, Nestor, Ulysse, Palamède.

121. D'après l'*Odyssée*, V, 193 : « puis il marcha sur les traces du dieu. »

122. Cf. Aristote, *Rhét.*, III, 13 : « Il y aura donc, si l'on fait les distinctions pratiquées par Théodore et ses disciples, une narration, une postnarration, et une avant-narration, une réfutation et une postréfutation. Cf. aussi Cicéron, *Or.*, XII : « Les premiers qui traitèrent cette partie de l'art furent Thrasymaque de Chalcédoine et Gorgias de Léontium, puis Théodore de Byzance et plusieurs autres, que, dans le *Phèdre*, Platon appelle artisans de discours. Ils ont des phrases assez harmonieuses, mais menues, comme il est naturel pour des nouveautés à peine formées ; certaines ressemblent à de petits vers et sont trop enjolivées. »

123. Evènos, poète et philosophe, né à Paros, fut, dit-on, un des maîtres de Socrate. Ses cours étaient payants et coûtaient cinq mines. Platon parle encore de lui dans l'*Apologie* et dans le *Phédon*.

124. Tisias vint à Athènes avec Gorgias, comme ambassadeur des Léontins. Lysias suivit les leçons de Tisias, lors de son séjour à Thurium, où Tisias s'était retiré. Voici ce que Quintilien rapporte de ces rhéteurs au livre III, 1, de son *Institution oratoire* : « Les premiers qui ont écrit sur la rhétorique sont les Siciliens Tisias et Corax : ils furent suivis de près par leur compatriote Gorgias de Léontium, qui fut, dit-on, disciple d'Empédocle. Grâce à sa longévité — il vécut cent neuf ans — Gorgias fut en réputation pendant plusieurs générations : aussi fut-il le rival de ceux dont j'ai parlé plus haut, et il se maintint jusque par-delà Socrate. » Cf. Cicéron, *Brutus*, 8 et 12.

125. Cf. Isocrate, *Panég.*, 1 : « Telle est la nature de la parole qu'on peut interpréter les mêmes choses de plusieurs manières, rendre ce qui est grand petit, ajouter de la grandeur à ce qui est petit, exposer ce qui est ancien d'une manière nouvelle et parler de choses nouvelles d'une manière antique. »

126. Prodicos, né à Iulis, dans l'île de Céos, fut condamné à boire la ciguë quelque temps après Socrate. C'est un des interlocuteurs du *Protagoras*. Voyez ce dialogue.

127. Hippias d'Elis, qui figure comme interlocuteur

dans le *Protagoras* (voyez ce dialogue), a donné son nom à deux dialogues de Platon.

128. Polos d'Agrigente, disciple de Licymnios, avait composé un traité intitulé τὰ πάρισα. Sans doute la διπλασιολογία, ou expression redoublée, consistait en ἰσόκωλα (membres égaux) ou πάρισα (membres correspondants), où une partie des mots était identique, comme φιλόδωρος εὐμενείας, ἄδωρος δυσμενείας. Cf. *Gorgias*, 448 c où Polos lui-même se sert de ces artifices.

129. Le scholiaste dit, à propos de ce passage, que Licymnios divisait les mots en mots propres, composés, frères, adjectifs et autres catégories.

130. Protagoras d'Abdère (~ 489-408), disciple de Démocrite, le plus illustre des sophistes avec Gorgias. Voir le dialogue qui porte son nom.

131. Sur Thrasymaque de Chalcédoine, voir note 118.

132. Voyez sur ces deux médecins la note 72 et la notice du *Banquet*.

133. Allusion à un vers de Tyrtée, *frg.* III, 8 : « *pas même s'il avait la voix de miel d'Adraste.* » Adraste, roi d'Argos, beau-père de Polynice, est représenté dans *les Suppliantes* d'Euripide comme un orateur persuasif. Mais les critiques pensent qu'en nommant Adraste Platon pensait à Antiphon de Rhamnunte, surnommé Nestor, à cause de sa voix plus douce que le miel (μέλιτος γλυκίονα αὐδήν).

134. C'est le langage des ennemis de Socrate : le mot μετεωρολογία, spéculation de haut vol ou discours sur les phénomènes célestes, fait songer aux *Nuées* d'Aristophane. Dans son acte d'accusation, Mélètos reproche à Socrate de s'occuper des phénomènes célestes (Platon, *Apologie*, 19 b).

135. Cf. Cicéron, *Brutus*, XI, 44 : « Sed tunc fere Pericles Xanthippi filius, de quo ante dixi, primus adhibuit doctrinam; quæ quanquam tum nulla erat dicendi, tamen, ab Anaxagora physico eruditus exercitationem mentis a reconditis abstrusisque rebus ad causas forenses popularesque facile traduxerat. » Ici Platon ne juge Périclès qu'au point de vue de l'art; dans le *Gorgias* 515 d-e, il lui reproche d'avoir gâté les Athéniens.

136. L'auteur auquel Socrate s'est substitué pour tracer le cadre d'un vrai traité de rhétorique.

137. C'étaient des vases ou des corbeilles où l'on faisait éclore des fleurs vitement, pour en orner le temple d'Adonis, le jour de la fête de ce demi-dieu. Cf. Théocrite, *Idylle*, XV, 113-114 : « A côté se trouvaient de tendres jardins tenus dans des corbeilles d'argent. » Le poète décrit dans cette pièce une fête d'Adonis dans le palais de Ptolémée.

138. *Ecrire dans l'eau* se disait en manière de proverbe pour *faire un travail inutile.*

139. Cf. Cicéron, *Pro Archia*, VI, 13 : « Qui donc pourrait me blâmer, qui pourrait se choquer à juste titre, si les moments que les autres accordent à leurs affaires, à la célébration des jeux aux jours de fête, à d'autres plaisirs, au délassement même de l'esprit et du corps, si le temps que d'autres consacrent aux longs festins, aux dés enfin ou à la paume, je le consacre, moi, à reprendre ces études ? »

140. Cicéron a traduit ce passage dans l'*Orator*, ch. XIII. Voici sa traduction : « Adulescens etiam nunc, o Phædre, Isocrates est ; sed quid de illo augurer lubet dicere. — Quid tandem ? inquit ille. — Majore mihi ingenio videtur esse quam ut cum orationibus Lysiæ comparetur ; præterea ad virtutem major indoles, ut minime mirum futurum sit, si cum ætate processerit, aut in hoc orationum genere cui nunc studet, tantum quantum pueris, reliquis præstet omnibus qui unquam orationes attigerunt ; aut si contentus his non fuerit, divino aliquo animi motu majora concupiscat ; inest enim natura philosophia in hujus viri mente quædam. »

TABLE DES MATIÈRES

AMADO (JORGE)
Mar morto (388)

ARIOSTE
Roland furieux. Textes choisis et présentés par Italo CALVINO (380)

BALZAC
La Maison du chat-qui-pelote (414). Peines de cœur d'une chatte anglaise (445)

BECKFORD
Vathek (375)

BRONTÉ (EMILY)
Hurlevent-des-Monts (Wuthering Heights) (411)

CARROLL (LEWIS)
Tout Alice (312)

CAZOTTE
Le Diable amoureux (361)

CARRINGTON
Le Cornet acoustique (397)

***
Code civil (Le). Textes antérieurs et version actuelle. Éd. J. Veil (318)

COLETTE
La Fin de Cheri (390)

CROS
Le Coffret de Santal. Le Collier de griffes (329)

DAUDET
Contes du Lundi (308)

DESCARTES
Méditations métaphysiques (328)

DIDEROT
Le Neveu de Rameau (143)

DICKENS
David Copperfield 1 (310) - 2 (311)

DOSTOIEVSKI
Récits de la maison des morts (337). L'Idiot 1 (398) - 2 (399)

DUMAS fils
La Dame aux camélias. (Roman, théâtre, opéra. *La Traviata*) (381)

***
Farces du Moyen Age (412)

FLAUBERT
L'Éducation sentimentale. (Première version). Passion et Vertu (339)

GAUTIER
Voyage en Espagne (367). Récits fantastiques (383)

GOLDONI
La Manie de la villégiature. Baroufe à Chiogga et autres pièces (322)

HAMSUN
Victoria (422)

HAWTHORNE
La Lettre écarlate (382)

HOBBES
Le Citoyen (De Cive) (385)

HOFFMANN
Contes fantastiques 1 (330) - 2 (358) - 3 (378)

HÖLDERLIN
Hymnes-Élégies (352)

HUGO
Les Burgraves (437) L'Art d'être grand-père (438)

HUME
Enquête sur l'entendement humain (343)

JAMES
Les Deux Visages (442)

KADARÉ
Le Pont aux trois arches (425)

KAFKA
Le Procès (400). Le Château (428)

LA BOÉTIE
Discours de la servitude volontaire (394)

***
Lettres portugaises. Lettres d'une Péruvienne et autres romans d'amour par lettres (379)

***
Lettres édifiantes et curieuses de Chine (315)

LOCKE
Traité du gouvernement civil (408)

MACHIAVEL
Le Prince (317)

MARGUERITE DE NAVARRE
L'Heptameron (355)

MANN
Mario et le magicien (403)

MAUPASSANT
Le Horla et autres contes d'angoisse (409)

MAURIAC
Un adolescent d'autrefois (387)

MELVILLE
Moby Dick (236)

MÉRIMÉE
Carmen. Les âmes du purgatoire (263). La Vénus d'Ille et autres nouvelles (368). Tamango. Mateo Falcone et autres nouvelles (392)

MIRBEAU
Le Journal d'une femme de chambre (307)

MISTRAL
Mireille (texte provençal et trad. de Mistral) (304)

MORAND
Hécate et ses chiens (410)

MORAVIA
Nouvelles romaines (389). Agostino (396) Le Conformiste (415)

GF GRAND-FORMAT

Vous trouverez chez votre libraire le catalogue complet de notre collection.

GF — TEXTE INTÉGRAL — GF

1667-VI-1985. — Imp. Bussière, St-Amand (Cher).
Nº d'édition 10604. — 2e trimestre 1964. — Printed in France.

des ailes, les arrose et en fait sortir les ailes, et remplit
en même temps d'amour l'âme du bien-aimé. Il aime
donc, mais il ne sait quoi ; il ne se rend pas compte de ce
qu'il éprouve et il est incapable de l'expliquer ; comme
un homme qui a pris l'ophtalmie d'un autre [112], il ne
peut dire la cause de son mal, et il ne s'aperçoit pas qu'il
se voit dans son amant comme dans un miroir. En sa
présence, il oublie, comme lui, ses tourments ; en son
absence, il le regrette, comme il en est regretté ; son
amour est l'image réfléchie de l'amour de son amant ;
mais il ne l'appelle pas amour, il n'y voit que de l'amitié.
Comme lui, quoique plus faiblement, il désire le voir,
le toucher, le baiser, coucher à ses côtés, et naturellement
il ne tarde pas à le faire. Tandis qu'il est couché près
de lui, le cheval lascif de l'amant a bien des choses à
dire au cocher, et pour prix de tant de peines il réclame
un peu de plaisir. Le cheval du jeune homme n'a rien
à dire ; mais, gonflé de désirs vagues, il embrasse l'amant
et le baise, comme on caresse un tendre ami, et, quand
ils sont couchés ensemble, il est prêt pour sa part à
donner ses faveurs à l'amant, s'il en fait la prière. Mais
d'un autre côté son compagnon et le cocher s'y opposent
au nom de la pudeur et de la raison.

XXXVII. — Si les éléments supérieurs de l'âme ont
la victoire et réduisent les amants à mener une vie réglée
et à cultiver la philosophie, ils passent leur existence
terrestre dans le bonheur et l'union ; maîtres d'eux-
mêmes et réglés dans leur conduite, ils tiennent en ser-
vage la partie où naît le vice, et assurent la liberté à
celle où naît la vertu. A la fin de leur vie, reprenant
leurs ailes et leur légèreté, ils sortent vainqueurs d'une
de ces trois luttes qu'on peut appeler vraiment olympiques [113], et c'est un tel bien que ni la sagesse humaine
ni le délire divin ne sont capables d'en procurer à l'homme
un plus grand. Mais s'ils ont embrassé un genre de vie
moins noble, où la philosophie n'a point de part, s'ils
s'attachent aux honneurs, il se peut que, dans l'ivresse
ou dans tout autre moment d'oubli, les deux chevaux
intempérants de l'un et de l'autre surprennent leurs
âmes sans défense, les amènent au même but, et fassent
un choix que le vulgaire trouve enviable : qu'elles assou-
vissent leurs désirs. Leur brutalité satisfaite, ils recom-
mencent encore, mais rarement, parce qu'une telle
conduite n'est pas approuvée de l'âme tout entière. Ces
amants aussi restent amis, mais moins étroitement que

les premiers, et dans le temps de leur passion et après
qu'elle s'est éteinte; car ils pensent qu'ils se sont donné
et ont reçu mutuellement les gages les plus solides, qu'il
serait impie de briser de tels nœuds et d'en venir à se
haïr. A la fin de leur vie, sans ailes encore, mais brûlant
d'en avoir, leurs âmes sortent du corps et sont récompensées magnifiquement de leur délire amoureux; car
la loi défend que celles qui ont commencé leur voyage
céleste descendent dans les ténèbres d'un voyage sou-
terrain; elles mènent une vie brillante et heureuse, en
voyageant ensemble, et quand elles reçoivent des ailes,
elles les reçoivent ensemble en récompense de leur amour.

XXXVIII. — Tels sont, mon enfant, les grands et
divins avantages que te procurera l'affection d'un amant;
mais l'intimité d'un homme sans amour, gâtée par une
sagesse mortelle, appliquée à ménager des intérêts périssables et frivoles, n'enfantera dans l'âme de l'aimé que
cette bassesse que la foule décore du nom de vertu, et
la fera rouler, privée de raison, autour de la terre et
sous la terre, pendant neuf mille années.

Voilà, cher Eros, la palinodie la plus belle et la meilleure que j'aie pu faire pour te l'offrir en expiation; si
les idées et particulièrement les expressions ont une couleur poétique, c'est Phèdre qui m'a forcé à parler ainsi.
Pardonne à mon premier discours, prends en gré celui-ci;
sois-moi favorable et propice; ne m'ôte pas, ne diminue
pas dans ta colère cet art d'aimer dont tu m'as fait
présent; accorde-moi au contraire d'être prisé plus que
jamais dans la société des beaux jeunes gens. Si tout à
l'heure, Phèdre et moi, nous t'avons offensé dans nos
discours, accuses-en Lysias, le père de ce débat; oblige-le
à renoncer à de telles compositions, et tourne-le vers
la philosophie comme son frère Polémarque [114] s'y est
tourné, afin que son amant qui m'écoute ne reste point
partagé entre deux partis, mais qu'il consacre résolument sa vie à l'amour réglé par la philosophie. »

PHÈDRE

XXXIX. — Je joins ma prière à la tienne, Socrate,
pour que tes souhaits, s'ils nous sont réellement avantageux, se réalisent. Quant à ton discours, je n'ai pas
attendu la fin pour en admirer la beauté : il est bien
supérieur au premier. Aussi je crains que Lysias ne fasse
piètre figure, en admettant qu'il se prête à composer
un pendant à ton discours. Aussi bien, tout dernière-

ment, merveilleux Socrate, un de nos hommes d'Etat, le prenant à parti, lui reprochait justement d'écrire, et, d'un bout à l'autre de sa diatribe, le traitait de faiseur de discours. Il se pourrait donc bien que par respect humain il refusât d'écrire.

SOCRATE

Voilà une idée qui n'est pas sérieuse, jeune homme, et tu connais bien mal ton ami si tu le crois si timoré; mais peut-être penses-tu que son détracteur aussi parlait sérieusement?

PHÈDRE

Il en avait bien l'air, Socrate, et tu sais toi-même que les hommes les plus puissants et les plus considérables dans les Etats rougissent d'écrire des discours et de laisser des écrits, dans la crainte de passer auprès de la postérité pour des sophistes.

SOCRATE

Tu oublies, Phèdre, que le proverbe « coude charmant » vient du grand coude du Nil [115]. Outre cela, tu ne vois pas non plus que les hommes d'Etat les plus infatués sont les plus ardents à rédiger des discours et à laisser des écrits après eux. Quand ils ont écrit un discours, ils sont si contents d'avoir des approbateurs qu'ils ne manquent jamais d'inscrire en première ligne le nom de ceux qui les approuvent.

PHÈDRE

Que dis-tu? Je ne comprends pas.

SOCRATE

Tu ne comprends pas qu'en tête de tout écrit d'un homme d'Etat on trouve toujours inscrit l'approbateur.

PHÈDRE

Comment?

SOCRATE

Il a plu, dit-il, au Sénat, ou au peuple, ou à tous les deux, sur la proposition d'un tel, et ici l'auteur se loue lui-même en termes magnifiques, et il continue en étalant à ses admirateurs sa propre sagesse dans un écrit qui prend parfois des proportions considérables. Ne te semble-t-il pas qu'un placard de ce genre n'est autre chose qu'un discours écrit?

PHÈDRE

Il me le semble.

SOCRATE

L'écrit passe-t-il, l'auteur sort tout joyeux du théâtre ; est-il rejeté, et l'auteur se voit-il ôter l'honneur d'être un faiseur de discours et juger indigne d'écrire, il s'en désole, et ses amis avec lui.

PHÈDRE

C'est vrai.

SOCRATE

Preuve que, loin de mépriser ce métier, ils le regardent avec envie.

PHÈDRE

Sans doute.

SOCRATE

Mais quoi ? lorsqu'un orateur ou un roi est capable de revêtir la puissance d'un Lycurgue, d'un Solon, d'un Darius, et de s'immortaliser dans un Etat comme faiseur de discours, ne se regarde-t-il pas lui-même comme un dieu durant sa vie, et la postérité ne porte-t-elle pas de lui le même jugement, en considérant ses écrits ?

PHÈDRE

Certainement.

SOCRATE

Penses-tu donc qu'un de ces politiques, quels que soient son caractère et sa malveillance pour Lysias, lui fasse honte de son talent même d'écrivain ?

PHÈDRE

Ce n'est pas vraisemblable, d'après ce que tu dis ; car ce serait dénigrer, ce me semble, sa propre passion.

SOCRATE

XL. — Il est donc évident pour tout le monde que le fait même d'écrire des discours n'emporte pas de honte.

PHÈDRE

En effet.

SOCRATE

Mais ce qui est honteux, ce me semble, c'est de ne

pas parler et écrire comme il faut, mais de parler et
d'écrire mal et ridiculement.

PHÈDRE

C'est évident.

SOCRATE

Qu'est-ce donc que bien ou mal écrire ? Faut-il, Phèdre,
que nous interrogions sur ce point Lysias et tout autre
qui a écrit ou doit écrire sur un sujet public ou privé,
en vers, comme un poète, ou en style libre, comme
un prosateur ?

PHÈDRE

S'il le faut ? dis-tu. Et pourquoi vivrait-on, j'ose le
dire, sinon pour de tels plaisirs ? Ce n'est pas vivre que
de vivre pour ceux qui sont nécessairement précédés
d'une peine sans laquelle il n'y aurait même pas de plaisir,
ce qui est le cas de presque tous les plaisirs physiques,
qu'on a justement pour ce motif appelés serviles.

SOCRATE

Nous avons du temps, n'est-ce pas ? Et puis les cigales
qui, sous l'effet de la chaleur étouffante, chantent et
s'entretiennent ensemble au-dessus de nos têtes, semblent
nous regarder. Si donc elles nous voyaient tous deux,
comme le commun des hommes, cesser nos entretiens
au milieu du jour, baisser la tête et bercer à leurs chan-
sons nos esprits paresseux, elles se moqueraient de nous
avec juste raison ; elles penseraient voir des esclaves
qui seraient venus près d'elles en cet asile pour faire
la sieste, comme des moutons assoupis à l'heure de midi
autour de la fontaine ; mais si elles nous voient conver-
ser et passer à côté d'elles sans nous laisser charmer
par leurs chants de sirènes, elles nous admireront et
peut-être nous feront-elles part de cette récompense que,
par une permission des dieux, elles peuvent accorder
aux hommes.

PHÈDRE

XLI. — De quelle récompense veux-tu parler ? Je crois
bien que je n'en ai jamais entendu parler.

SOCRATE

Il ne sied pas à un ami des muses d'ignorer ces choses-
là. On dit que jadis, avant la naissance des muses, les
cigales étaient des hommes. Quand les muses naquirent

et firent connaître le chant aux hommes, certains d'entre eux furent alors tellement transportés de plaisir qu'ils oublièrent en chantant de boire et de manger et moururent sans s'en apercevoir. C'est d'eux que vient la race des cigales, qui ont reçu des muses le privilège de n'avoir pas besoin de nourriture et de chanter, de leur naissance à leur mort, sans boire ni manger, puis d'aller rapporter aux muses par qui chacune d'elles est honorée ici-bas. Ainsi elles font connaître à Terpsichore ceux qui l'ont honorée dans les chœurs et elles augmentent sa tendresse pour eux, à Erato ceux qui l'ont honorée dans leurs poèmes d'amour, et de même aux autres, ceux qui leur ont rendu le genre d'hommage qui leur convient. A Calliope, la plus ancienne, et à Uranie, la cadette, elles rapportent les noms de ceux qui passent leur vie à philosopher et qui honorent les arts auxquels elles président. Ces deux muses, qui sont spécialement occupées du ciel et des discours des dieux et des hommes, sont celles dont les accents sont les plus beaux. Voilà bien des raisons de parler, au lieu de faire la sieste de midi.

PHÈDRE

Eh bien, parlons.

SOCRATE

XLII. — Nous nous proposions tout à l'heure d'examiner ce qui fait qu'on parle ou qu'on écrit bien ou mal; n'est-ce pas le moment de faire cet examen?

PHÈDRE

Evidemment si.

SOCRATE

N'est-il pas nécessaire, pour qu'un discours soit parfait, qu'il ait pour fondement la connaissance de la vérité touchant la question qu'on veut traiter?

PHÈDRE

J'ai entendu dire à ce sujet, mon cher Socrate, qu'il n'était pas nécessaire au futur orateur de connaître ce qui est réellement juste, mais ce qui semble juste à la multitude chargée de prononcer, ni ce qui est réellement bon ou beau, mais ce qui paraîtra tel; car c'est de la vraisemblance, non de la vérité, que sort la persuasion.

SOCRATE

Il ne faut pas dédaigner, Phèdre, une parole tombée de la bouche des sages [116]; il faut voir si elle est juste, et ce que tu viens de dire mérite qu'on s'y arrête.

PHÈDRE

Tu as raison.

SOCRATE

Nous nous y prendrons de la manière que voici.

PHÈDRE

Voyons.

SOCRATE

Si je te conseillais de te procurer un cheval pour aller à la guerre et que nous ignorions tous deux ce qu'est un cheval, si je savais seulement que Phèdre prend pour un cheval celui des animaux domestiques qui a les plus grandes oreilles...

PHÈDRE

Il y aurait de quoi rire, Socrate.

SOCRATE

Non, pas encore. Si je voulais sérieusement te persuader, et si pour cela je composais un discours à la louange de l'âne que j'appellerais cheval, disant que c'est une bête inestimable à la maison et à l'armée, propre à te porter au combat, capable de transporter les bagages et apte à bien d'autres usages...

PHÈDRE

Ce serait le comble du ridicule.

SOCRATE

Ne vaut-il pas mieux être ridicule que dangereux et funeste à ses amis ?

PHÈDRE

Sans doute.

SOCRATE

Lors donc qu'un orateur ignorant le bien et le mal trouve ses concitoyens dans la même ignorance, et entreprend de les persuader, non pas en louant l'ombre d'un âne sous le nom de cheval, mais en louant le mal sous le nom de bien, et lorsque ayant étudié les préjugés de la multitude il arrive à lui persuader de faire le mal au lieu du bien, à ton avis, quels fruits la rhétorique récoltera-t-elle de ce qu'elle a semé?

PHÈDRE

Des fruits assez mauvais.

SOCRATE

XLIII. — N'aurions-nous pas, mon bon ami, mal-traité la rhétorique un peu brutalement? Peut-être pourrait-elle nous dire: Qu'est-ce donc que vous débitez là? Vous êtes d'étranges raisonneurs. Je ne force personne à apprendre l'art de la parole sans connaître le vrai; mais, si mon avis a quelque valeur, qu'on s'assure d'abord la possession de la vérité, on viendra ensuite à moi; car j'affirme bien haut que sans moi on aura beau posséder la vérité, on n'en sera pas plus capable de persuader par les règles de l'art.

PHÈDRE

N'aurait-elle pas raison de parler ainsi?

SOCRATE

Sans doute si les voix qui s'élèvent vers elle rendent témoignage qu'elle est un art; mais je crois en entendre qui s'approchent et protestent qu'elle ment et qu'elle n'est pas un art, mais une simple routine. De véritable art de la parole, en dehors de la vérité, il n'y en a pas, dit le Laconien, et il n'y en aura jamais.

PHÈDRE

Il faut donner audience à ces voix, Socrate; fais-les comparaître ici et approfondis leurs paroles et leurs raisons.

SOCRATE

Approchez, nobles créatures, et persuadez Phèdre, père de beaux enfants [117], que, s'il n'a pas suffisamment étudié la philosophie, il ne sera jamais capable de parler sur quoi que ce soit. Que Phèdre réponde.

PHÈDRE

Interrogez.

SOCRATE

La rhétorique en général n'est-elle pas l'art de conduire les âmes par la parole, non seulement dans les tribunaux et toutes les autres assemblées publiques, mais encore dans les réunions privées, art qui ne varie pas selon la petitesse ou la grandeur des sujets et dont le juste emploi ne fait pas moins d'honneur dans les choses légères que dans les choses importantes? N'est-ce pas en ce sens que tu en as entendu parler?

PHÈDRE

Non, par Zeus, ce n'est pas tout à fait cela; mais c'est surtout dans les tribunaux que règne l'art de parler et d'écrire; on pratique aussi l'art de parler dans les assemblées du peuple. Je n'ai pas entendu dire qu'il s'étendît plus loin.

SOCRATE

Tu ne connais donc que les traités de rhétorique de Nestor et d'Ulysse, qu'ils composèrent dans leurs loisirs sous les murs d'Ilion, et tu n'as jamais entendu parler de ceux de Palamède?

PHÈDRE

Non, par Zeus, non plus que des traités de Nestor, à moins que tu n'ériges Gorgias en Nestor et Ulysse en Thrasymaque [118] ou en Théodore [119].

SOCRATE

XLIV. — Peut-être; mais laissons-les de côté, et dis-moi, toi, dans les tribunaux, que font les parties adverses? elles parlent contradictoirement, n'est-ce pas? ou bien que dirons-nous qu'elles font?

PHÈDRE

C'est cela même.

SOCRATE

Sur le juste et l'injuste?

PHÈDRE

Oui.

SOCRATE

N'est-il pas vrai que celui qui fait cela avec art fera paraître la même chose aux mêmes personnes, tantôt juste, tantôt injuste, à son gré?

PHÈDRE

Sans doute.

SOCRATE

Et s'il parle au peuple, il lui fera paraître les mêmes choses tantôt bonnes, tantôt mauvaises?

PHÈDRE

C'est vrai.

SOCRATE

Ne savons-nous pas que le Palamède d'Elée [120] parlait avec tant d'art qu'il faisait paraître à ses auditeurs les mêmes choses semblables ou dissemblables, unes ou multiples, en repos ou en mouvement?

PHÈDRE

Si.

SOCRATE

Ce n'est donc pas seulement dans les tribunaux et à l'assemblée du peuple que s'applique l'art de la controverse; mais il y a, semble-t-il, un art unique qui s'applique à tout ce qu'on dit; et cet art, s'il existe réellement, rend capable d'assimiler tout à tout dans tous les cas et aux yeux de toutes les personnes possibles, et, lorsqu'un autre en fait autant, de faire éclater aux yeux sa supercherie.

PHÈDRE

Que veux-tu dire par là?

SOCRATE

Suis mon raisonnement, je crois qu'il éclaircira la question. Est-il plus facile de faire illusion dans les choses très différentes ou dans les choses peu différentes?

PHÈDRE

Dans les choses peu différentes.

SOCRATE

Si tu veux changer de côté sans qu'on s'en aperçoive, n'y arriveras-tu pas mieux en te déplaçant à petits pas qu'à grands pas?

PHÈDRE

Sans contredit.

SOCRATE

Il est donc nécessaire pour tromper les autres sans se

laisser tromper soi-même de distinguer exactement la ressemblance et la différence des choses ?

PHÈDRE

C'est indispensable.

SOCRATE

Mais pourra-t-on, si l'on ignore la vraie nature de chaque chose, discerner si la chose qu'on ignore ressemble peu ou beaucoup aux autres ?

PHÈDRE

On ne le pourra pas.

SOCRATE

Donc, lorsqu'on a une opinion contraire à la vérité et qu'on s'est trompé, l'erreur provient évidemment de certaines ressemblances ?

PHÈDRE

C'est cela même.

SOCRATE

Est-il possible qu'on ait l'art de faire passer insensiblement les autres de ressemblance en ressemblance et de les amener dans tous les cas de la vérité à son contraire et d'éviter soi-même une telle erreur, si l'on ignore l'essence de chaque chose ?

PHÈDRE

Jamais.

SOCRATE

Ainsi, mon camarade, l'art des discours, quand on ignore la vérité et qu'on ne s'attache qu'à l'opinion, n'est, ce semble, qu'un art ridicule et sans valeur.

PHÈDRE

C'est à croire.

SOCRATE

XLV. — Eh bien, dans le discours de Lysias que tu tiens à la main et dans ceux que j'ai prononcés, veux-tu que nous cherchions quelques exemples de choses qui, selon moi, sont étrangères ou conformes à l'art ?

PHÈDRE

Très volontiers ; car à présent la discussion est en quelque sorte nue, faute d'exemples appropriés.

SOCRATE

C'est vraiment un heureux hasard, semble-t-il, qui nous a fait prononcer deux discours propres à montrer par des exemples comment l'homme qui connaît le vrai fait, en se jouant de la parole, prendre le change à ceux qui l'écoutent. Pour moi, Phèdre, je rapporte cette chance aux dieux de cet endroit; peut-être aussi ces interprètes des muses qui chantent sur nos têtes nous ont-elles soufflé cette heureuse inspiration; car, pour ma part, je suis étranger à tout art oratoire.

PHÈDRE

Je veux bien le croire, puisque tu le dis; mais explique ce que tu veux dire.

SOCRATE

Eh bien, lis-moi le commencement du discours de Lysias.

PHÈDRE

Tu connais mes sentiments : j'estime, je te l'ai dit, qu'il est de notre intérêt à tous deux que tu écoutes mes propositions, et je soutiens qu'il n'est pas juste de me refuser ce que je demande par la raison que je ne suis pas ton amant; car les amants regrettent...

SOCRATE

Arrête; il faut expliquer en quoi Lysias est fautif et manque d'art, n'est-il pas vrai?

PHÈDRE

Si.

SOCRATE

XLVI. — N'est-il pas évident pour tout le monde que, sur les matières comme celles que nous débattons, nous sommes tantôt d'accord, tantôt en désaccord?

PHÈDRE

Je crois te comprendre; cependant explique-toi plus clairement.

SOCRATE

Quand on prononce le mot de fer ou d'argent, n'en avons-nous pas tous la même idée?

PHÈDRE

Assurément.

SOCRATE

Mais si l'on prononce le mot de juste ou de bon, les avis ne se partagent-ils pas, et ne sommes-nous pas en désaccord les uns avec les autres et avec nous-mêmes?

PHÈDRE

C'est vrai.

SOCRATE

Il y a donc des choses où nous sommes d'accord, d'autres où nous ne le sommes pas?

PHÈDRE

Oui.

SOCRATE

Maintenant de quel côté est-on le plus facile à tromper et dans quels sujets la rhétorique a-t-elle le plus de pouvoir?

PHÈDRE

Evidemment dans ceux où l'opinion est flottante.

SOCRATE

Il faut donc, pour aborder l'art oratoire, distinguer d'abord méthodiquement ces sujets et saisir le caractère des deux espèces, celle où l'opinion de la foule est forcément flottante, et celle où elle ne l'est pas?

PHÈDRE

Il est certain, Socrate, que saisir ce caractère serait une observation précieuse.

SOCRATE

Il faut ensuite, selon moi, en abordant un sujet, ne pas s'y jeter à l'aveugle, mais distinguer nettement à laquelle des deux espèces il appartient.

PHÈDRE

Sans doute.

SOCRATE

Et l'amour? Le rangerons-nous parmi les matières à dispute, ou non?

PHÈDRE

Sans nul doute, parmi les matières à dispute. Autrement penses-tu que tu aurais pu en dire ce que tu en as

dit tout à l'heure, qu'il était un mal pour l'aimé et
pour l'amant, puis, au rebours, qu'il était le plus grand
des biens?

SOCRATE

A merveille; mais réponds encore à cette question;
car l'enthousiasme où j'étais a troublé la netteté de mes
souvenirs : est-ce que j'ai défini l'amour en commençant mon discours?

PHÈDRE

Oui, par Zeus, et merveilleusement.

SOCRATE

Oh! oh! c'est dire que les nymphes de l'Achéloüs et
Pan, fils d'Hermès, sont bien supérieurs à Lysias, fils
de Céphale, dans l'art des discours. Ou bien me trompé-je, et Lysias, en commençant à parler de l'amour, nous
en a-t-il fait accepter la définition qu'il voulait, et y a-t-il
rapporté toute la suite et la conclusion du discours qu'il
a composé? Veux-tu que nous en relisions le début?

PHÈDRE

Si tu veux; mais tu n'y trouveras pas ce que tu cherches.

SOCRATE

Lis, je désire entendre l'auteur lui-même.

PHÈDRE

XLVII. — « Tu connais mes sentiments : j'estime, je
te l'ai dit, qu'il est de notre intérêt à tous deux que tu
écoutes mes propositions, et je soutiens qu'il n'est pas
juste de me refuser ce que je demande par la raison que
je ne suis pas ton amant; car les amants regrettent le
bien qu'ils ont fait, quand leur désir est éteint. »

SOCRATE

L'auteur est loin, ce me semble, de faire ce que nous
demandons, puisqu'il part, non du commencement, mais
de la fin, comme s'il remontait le courant du discours
en nageant sur le dos et qu'il débute par où finirait un
amant parlant à son bien-aimé. Me trompé-je, Phèdre,
mignonne tête?

PHÈDRE

C'est en effet la fin, Socrate, ce qu'il dit ici.

SOCRATE

Et le reste? Ne trouves-tu pas que toutes les idées du
discours ont été jetées pêle-mêle; te paraît-il que le
second point doive être placé à la seconde place, plutôt
que tel autre point? Il m'a semblé à moi, dans mon
ignorance, que l'auteur avait bravement couché sur le
papier au fur et à mesure tout ce qui se présentait à son
esprit. Distingues-tu, toi, quelque nécessité de composition qui lui ait fait aligner ses idées dans cet ordre?

PHÈDRE

Tu es bien bon de me supposer capable de pénétrer
si exactement les secrets d'un tel écrivain.

SOCRATE

Eh bien, tu avoueras du moins, je pense, qu'un discours doit être constitué comme un être vivant, avec
un corps qui lui soit propre, une tête et des pieds, un
milieu et des extrémités, toutes parties bien propor-
tionnées entre elles et avec l'ensemble.

PHÈDRE

Sans doute.

SOCRATE

Examine donc le discours de ton ami, et vois s'il est
composé de cette manière ou s'il ne l'est pas. Tu trouveras qu'il ressemble exactement à l'épitaphe qui fut,
dit-on, gravée sur la tombe de Midas, roi de Phrygie.

PHÈDRE

Quelle est cette épitaphe, et qu'a-t-elle de particulier?

SOCRATE

La voici :
« *Je suis une vierge d'airain; je suis couchée sur le tombeau
de Midas.*
Tant que l'eau coulera et que les grands arbres verdiront,
Fixée ainsi sur ce tombeau arrosé de larmes,
*J'annoncerai aux passants que Midas a été enseveli dans
ce lieu.* »
On peut indifféremment placer n'importe quel vers à
la première ou à la dernière place, tu le vois bien, n'est-ce
pas?

PHÈDRE

Tu te moques de notre discours, Socrate.

SOCRATE

XLVIII. — Laissons-le donc, pour ne pas te fâcher, bien qu'il contienne à mon avis beaucoup d'exemples qu'il y aurait profit à étudier, pour éviter avec soin de les imiter, et passons aux autres discours. Il s'y trouvait, je crois, une chose qu'il convient de considérer, si l'on veut se rendre compte de l'art de discourir.

PHÈDRE

Que veux-tu dire par là ?

SOCRATE

Ces discours étaient contradictoires ; car l'un soutenait qu'il faut accorder ses faveurs à l'amant, et l'autre au prétendant sans amour.

PHÈDRE

Et ils le soutenaient avec force.

SOCRATE

Je croyais que tu allais dire le mot juste : d'une manière délirante. C'est justement ce que je cherchais, car nous avons dit que l'amour est une sorte de délire, n'est-ce pas ?

PHÈDRE

Oui.

SOCRATE

Et qu'il y a deux genres de délire : l'un, causé par des maladies humaines, l'autre par une impulsion divine qui nous jette hors de nos habitudes régulières.

PHÈDRE

C'est vrai.

SOCRATE

Et dans le délire divin nous avons distingué quatre espèces relevant de quatre dieux ; nous avons rapporté l'inspiration des prophètes à Apollon, celle des initiés à Dionysos, celle des poètes aux Muses, enfin celle des amants à Aphrodite et à Eros ; c'est la dernière que nous avons déclarée la meilleure. Et je ne sais comment, tandis que nous tracions l'image de la passion amoureuse, touchant peut-être à la vérité, peut-être aussi nous fourvoyant loin d'elle, et composant de cette manière un discours assez persuasif, nous avons fait, en nous jouant avec décence et piété, une sorte d'hymne mythique en l'honneur de ton maître et du mien, Phèdre, en l'honneur d'Eros qui veille sur les beaux jeunes gens.

PHÈDRE

Pour ma part, j'ai eu beaucoup de plaisir à l'entendre.

SOCRATE

XLIX. — Tirons-en donc un enseignement et voyons par quel chemin le discours a passé du blâme à l'éloge.

PHÈDRE

Comment cela?

SOCRATE

A mon avis, tout le reste n'est en vérité que jeu; mais, dans ces développements où le hasard nous a guidés, il y a deux procédés dont il serait intéressant d'étudier méthodiquement la vertu.

PHÈDRE

Lesquels?

SOCRATE

C'est d'abord d'embrasser d'une seule vue et de ramener à une seule idée les notions éparses de côté et d'autre, afin d'éclaircir par la définition le sujet qu'on veut traiter. C'est ainsi que tout à l'heure nous avons défini l'amour; notre définition a pu être bonne ou mauvaise; en tout cas, elle nous a permis de rendre notre discours clair et cohérent.

PHÈDRE

Mais le second procédé, Socrate, quel est-il?

SOCRATE

Il consiste à diviser à nouveau l'idée en ses éléments, suivant ses articulations naturelles, en tâchant de n'y rien tronquer, comme ferait un boucher maladroit. C'est ce que nous avons fait dans les discours de tout à l'heure. Nous avons ramené le délire à une idée générale commune; puis, comme dans un seul corps il y a des couples de membres qui ont le même nom, ceux de gauche et ceux de droite, ainsi nos deux discours ont considéré d'abord le délire comme un genre unique, puis l'un, s'attaquant au côté gauche, l'a divisé et subdivisé sans s'arrêter, jusqu'à ce qu'il ait rencontré une sorte d'amour de gauche auquel il a dit justement son fait; l'autre, nous conduisant sur la droite du délire, y a trouvé un amour du même nom que le premier, mais d'origine divine, qu'il a mis en lumière et loué comme l'auteur des plus grands biens pour l'humanité.

PHÈDRE

C'est très exact.

SOCRATE

L. — Voilà, Phèdre, de quoi je suis amoureux, moi : c'est des divisions et des synthèses; j'y vois le moyen d'apprendre à parler et à penser. Et si je trouve quelque autre capable de voir les choses dans leur unité et leur multiplicité, *voilà l'homme que je suis à la trace, comme un dieu* [121]. Ceux qui en sont capables, Dieu sait si j'ai tort ou raison de leur appliquer ce nom, mais enfin jusqu'ici je les appelle dialecticiens. Mais pour ceux qui ont étudié près de toi ou de Lysias, dis-moi, quel nom dois-je leur donner ? Serait-ce là cet art de la parole grâce auquel Thrasymaque et les autres sont devenus habiles à parler, et communiquent cette habileté à ceux qui veulent bien leur apporter des présents, comme à des rois ?

PHÈDRE

Ces hommes sont vraiment rois; mais ils ignorent l'art dont tu parles. Au reste, tu as raison, je crois, de l'appeler dialectique; mais il me semble que nous n'avons pas encore abordé la rhétorique.

SOCRATE

Comment dis-tu ? Y aurait-il en dehors de la dialectique quelque beau procédé que l'art peut s'approprier ? Gardons-nous bien, toi et moi, de le dédaigner, et disons en quoi consiste cette autre partie de la rhétorique.

PHÈDRE

Il y a beaucoup à dire, Socrate, s'il faut rapporter ce qui est dans les livres de rhétorique.

SOCRATE

LI. — Tu fais bien de m'y faire penser. D'abord, il faut, je crois, qu'un exorde soit placé au commencement du discours. Ce sont ces sortes de choses, n'est-ce pas, que tu appelles les finesses de l'art ?

Oui.

La seconde place est pour la narration, suivie des dépositions de témoins, la troisième pour les preuves, la quatrième pour les présomptions. On parle aussi de confirmation et de surconfirmation : c'est, je crois, l'habile artisan de discours qui nous vient de Byzance.

Tu veux parler de l'habile Théodore [122] ?

Sans doute. Il enseigne aussi ce que doit être la réfutation et la post-réfutation dans l'attaque et dans la défense. Donnons audience aussi à l'éminent Evénos [123] de Paros, l'inventeur de l'insinuation et des louanges détournées; on dit qu'il a mis en vers la doctrine des blâmes indirects pour aider la mémoire : c'est un habile homme. Laisserons-nous dormir Tisias et Gorgias [124], eux qui ont découvert que le vraisemblable est bien supérieur au vrai, qui, par la force de leur parole, font paraître grand ce qui est petit et petit ce qui est grand, qui donnent aux choses nouvelles un air d'antiquité, aux choses antiques un air de nouveauté [125], et qui ont inventé les discours condensés ou amplifiés à l'infini sur n'importe quel sujet. Un jour que j'en parlais à Prodicos [126], il se mit à rire et déclara que lui seul avait trouvé la méthode exigée par l'art des discours et que ce n'était ni la prolixité, ni la concision, mais la juste mesure.

C'était sagement parler, Prodicos.

Ne dirons-nous rien d'Hippias [127] ? Je pense que l'étranger d'Elis serait aussi de l'avis de Prodicos.

Assurément.

Que dirons-nous des doctes officines d'expressions de Polos [128], du savant emploi qu'il fait des expressions redoublées, des sentences, des figures, des mots à la

Licymnios [129], présents que ce maître lui fit pour fabriquer de l'élégance?

PHÈDRE

Les procédés de Protagoras [130], Socrate, n'étaient-ils pas du même genre?

SOCRATE

C'était une certaine propriété des termes, mon enfant, avec beaucoup d'autres belles choses.

Pour apitoyer par des lamentations sur la vieillesse et la pauvreté, l'art du puissant rhéteur de Chalcédoine [131] me paraît sans rival. Il est également capable de soulever les foules et d'apaiser leur colère par ses chants magiques, comme il disait, et il excelle à inventer et à détruire des calomnies, quel qu'en soit le motif.

Quant à la fin du discours, il semble y avoir un accord unanime, qu'on l'appelle récapitulation ou qu'on lui donne un autre nom.

PHÈDRE

Tu veux parler du résumé final où l'on rappelle aux auditeurs ce qui a été dit.

SOCRATE

C'est cela. Vois-tu d'autres choses à dire sur l'art du discours?

PHÈDRE

Je ne vois que des choses insignifiantes et qui ne valent pas la peine d'en parler.

SOCRATE

Si elles sont insignifiantes, laissons-les de côté, et faisons voir sous un plus grand jour quelle est la puissance de l'art, et où elle se manifeste.

PHÈDRE

Cette puissance est immense, Socrate, du moins dans les assemblées populaires.

SOCRATE

Elle l'est en effet; mais examine, toi aussi, cher ami, si tu ne trouveras pas comme moi que la trame de leur art est bien lâche.

PHÈDRE

Explique-toi seulement.

SOCRATE

LII. — Dis-moi donc, si quelqu'un venait trouver ton ami Eryximaque ou son père Acoumène [132], et leur disait : « Je sais par l'emploi de certaines drogues échauffer ou refroidir à mon gré le corps, faire, si bon me semble, vomir ou évacuer par le bas, et produire quantité d'autres effets du même genre, et je prétends de ce chef être médecin et faire un médecin de tout homme à qui je transmettrai ces connaissances, que penses-tu qu'ils répondraient à ces prétentions ? »

PHÈDRE

Ils lui demanderaient à coup sûr s'il sait encore à qui et quand il faut appliquer chaque traitement, et à quelle dose.

SOCRATE

Et s'il répliquait : « Je n'en sais absolument rien ; mais je prétends qu'un homme qui aura reçu mes leçons sera lui-même capable de faire ce que vous demandez »?

PHÈDRE

Ils répondraient, je pense : « Cet homme est fou ; pour avoir appris dans quelque livre ou mis la main par hasard sur quelques petits remèdes, il s'imagine être médecin, bien qu'il n'entende rien à cet art. »

SOCRATE

Et si quelqu'un venait trouver Sophocle et Euripide et leur disait qu'il sait composer des tirades sans fin sur de petits sujets et traiter succinctement les grands sujets, manier à son gré la pitié ou, au contraire, la terreur et la menace et tous les sentiments du même genre, et qu'en enseignant cela il prétend enseigner la manière de faire une tragédie ?

PHÈDRE

M'est avis, Socrate, qu'ils lui riraient au nez s'il s'imaginait que la tragédie n'est pas avant tout une composition harmonieuse où tous ces éléments s'accordent entre eux et avec l'ensemble.

SOCRATE

Mais ils se garderaient sans doute de le rudoyer gros-
sièrement. Ils le traiteraient comme le ferait un musicien
qui aurait rencontré un homme qui se figure savoir
l'harmonie parce qu'il sait la manière de hausser ou de
baisser le ton d'une corde : il ne lui dirait pas brutalement : « Pauvre homme, tu es hypocondre », mais il lui
dirait, avec la douceur propre au musicien : « Mon très
cher, il faut savoir ce que tu sais, si l'on veut être harmo-
niste; mais on peut fort bien, au point où tu en es, ignorer totalement l'harmonie; tu possèdes les notions indispensables pour aborder l'harmonie, mais l'harmonie, non
pas. »

PHÈDRE

Rien de plus juste.

SOCRATE

De même Sophocle répondrait à son vantard qu'il
connaît les notions préliminaires de l'art tragique, mais
non l'art tragique, et Acoumène répondrait au sien qu'il
connaît les notions préliminaires de la médecine, mais
non la médecine.

PHÈDRE

Assurément.

SOCRATE

LIII. — Et si Adraste [133] à la voix de miel ou Périclès
avaient entendu ce que nous venons de dire de ces beaux
artifices, du style concis et figuré et des autres procédés
que nous devions, disions-nous, examiner au grand jour,
est-il à croire que, comme toi et moi, ils répondraient par
un mot brutal et malhonnête à ceux qui ont écrit de ces
artifices et qui les enseignent comme étant l'art oratoire ?
ou, plus sages que nous, n'est-ce pas nous-mêmes qu'ils
reprendraient ? O Phèdre, ô Socrate, diraient-ils, au lieu
de vous fâcher, pardonnez plutôt à ceux qui, ne connais-
sant pas la dialectique, ont été impuissants à définir
l'art oratoire. Dans leur ignorance, ils ont cru, parce
qu'ils étaient en possession des préliminaires indispensables de l'art, avoir trouvé l'art de la parole, et, en enseignant ces préceptes à leurs disciples, ils pensent avoir
parfaitement enseigné la rhétorique. Mais quant à l'art
de disposer chacun de ces moyens en vue de la persuasion et d'ordonner le tout, ils l'ont tenu pour négligeable
et ont cru que leurs disciples devaient le trouver tout
seuls en composant leurs discours.

PHÈDRE

J'ai peur, Socrate, que l'art que ces maîtres donnent pour l'art oratoire dans leurs leçons et dans leurs écrits ne se borne à ce que tu dis, et je crois bien que tu as touché juste. Mais le véritable art de parler et de persuader, comment et où peut-on l'acquérir ?

SOCRATE

La perfection dans les luttes oratoires, Phèdre, est vraisemblablement, peut-être même nécessairement, soumise aux mêmes conditions que dans les autres arts. Si la nature t'a doué du don de la parole, tu deviendras un orateur illustre, en y ajoutant la science et l'exercice; mais s'il te manque une de ces choses, tu seras par là même imparfait. Pour ce qui est de l'art, ce n'est pas sur les traces de Lysias et de Thrasymaque qu'il faut marcher pour le chercher.

PHÈDRE

Quel chemin faut-il donc prendre ?

SOCRATE

Il y a, mon bon ami, des raisons de croire que de tous les orateurs Périclès a été le plus consommé dans son art.

PHÈDRE

Comment ?

SOCRATE

LIV. — C'est que tous les grands arts ne peuvent pas se passer de « ce bavardage et de ces spéculations de haut vol sur la nature [134] »; car c'est de là que semblent bien venir la hauteur de l'esprit et la facilité à mener à bien toutes ses entreprises : ce sont ces qualités que Périclès ajouta à ses dons naturels; ayant trouvé dans Anaxagore l'homme de ces hautes spéculations, il en nourrit son esprit [135], pénétra la nature de ce qui est intelligent et de ce qui ne l'est pas, sujet qu'Anaxagore a si souvent traité, et il tira de là pour l'art oratoire ce qui s'y rapportait.

PHÈDRE

Que veux-tu dire par là ?

SOCRATE

Il en est sans doute de la rhétorique comme de la médecine.

PHÈDRE

Comment ?

SOCRATE

Dans l'une et dans l'autre il faut analyser la nature,
dans l'une la nature du corps, dans l'autre celle de l'âme,
si, au lieu de se contenter de la routine et de l'expérience,
on veut recourir à l'art, pour procurer au corps par les
remèdes et la nourriture la santé et la force, et pour faire
naître dans l'âme, par des discours et un entraînement
vers la justice, la conviction qu'on veut y produire et la
vertu.

PHÈDRE

Ce que tu dis, Socrate, est vraisemblable.

SOCRATE

Mais crois-tu qu'on puisse connaître suffisamment la
nature de l'âme sans connaître la nature universelle ?

PHÈDRE

S'il faut en croire Hippocrate, descendant d'Asclèpios,
on ne peut pas même connaître la nature du corps sans
ce moyen.

SOCRATE

Hippocrate a raison, mon camarade ; mais, outre Hippocrate, il faut encore consulter la raison et voir si elle
est d'accord avec lui.

PHÈDRE

J'en conviens.

SOCRATE

LV. — Examine donc ce que disent sur la nature
Hippocrate et la droite raison. Pour étudier la nature
d'une chose, quelle qu'elle soit, ne faut-il pas s'y prendre
de cette manière, c'est-à-dire se demander d'abord si la
chose qu'on veut connaître méthodiquement et qu'on
veut être capable d'enseigner aux autres est simple ou
multiple ; puis, si elle est simple, examiner ses propriétés,
comment et sur quoi elle agit, comment et par quoi elle
est affectée ; si, au contraire, elle comporte plusieurs
espèces, les dénombrer et faire sur chacune le travail
qu'on a fait sur la chose simple, voir en quoi et comment
elle agit, en quoi et par quoi elle est affectée ?

PHÈDRE

Apparemment, Socrate.

SOCRATE

En tout cas procéder autrement, c'est marcher à l'aveugle; mais ce n'est pas le fait d'un aveugle ni d'un sourd que de traiter avec art une chose quelconque. Il est, au contraire, évident que, si l'on enseigne à discourir avec art, on fera voir exactement ce qu'est la nature de l'objet auquel le disciple doit rapporter ses discours, et cet objet, c'est l'âme.

PHÈDRE

Sans nul doute.

SOCRATE

N'est-ce pas vers cet objet que tend tout son effort? Il s'agit en effet d'y porter la persuasion, n'est-ce pas?

PHÈDRE

Oui.

SOCRATE

Il est donc évident que Thrasymaque et tout autre qui veut enseigner sérieusement l'art oratoire devra d'abord décrire l'âme avec toute l'exactitude possible et montrer si, de sa nature, elle est une et identique, ou multiple comme le corps; car c'est cela que nous appelons montrer la nature des choses.

PHÈDRE

Parfaitement.

SOCRATE

En second lieu, il décrira comment et sur quoi elle agit, comment et par quoi elle est affectée.

PHÈDRE

Sans doute.

SOCRATE

En troisième lieu, ayant classé les espèces de discours et d'âmes, et les affections de l'âme, il en passera en revue les causes, il appropriera chaque chose à celle qui lui correspond, et enseignera quels discours et quelles causes produiront nécessairement la persuasion dans telle âme, et resteront sans effet sur telle autre.

PHÈDRE

On ne saurait mieux s'y prendre, à mon avis.

SOCRATE

Toute autre méthode d'explication ou d'exposition, soit orale, soit écrite, ne sera jamais la méthode de l'art, ni dans la matière qui nous occupe, ni dans aucune autre. Mais ceux qui ont de notre temps écrit des traités de rhétorique et que tu as entendus parler sont des fourbes qui dissimulent leur parfaite connaissance de l'âme. Aussi tant qu'ils ne parleront pas et n'écriront pas de la manière que j'entends, gardons-nous de croire qu'ils écrivent avec art.

PHÈDRE

Quelle manière entends-tu ?

SOCRATE

En parler dans les termes propres n'est pas chose facile. Cependant je veux bien te montrer, dans la mesure où j'en suis capable, comment il faut écrire pour écrire avec art.

PHÈDRE

Parle donc.

SOCRATE

LVI. — Puisque le propre du discours est de conduire les âmes, pour être un habile orateur, il faut savoir combien il y a d'espèces d'âmes ; or, il y en a un certain nombre, avec telles et telles qualités ; il y a par suite aussi tels et tels hommes. A ces distinctions correspondent respectivement autant d'espèces de discours, et c'est ainsi qu'il est facile de persuader tels hommes de telles choses par tels discours et par telle cause, tandis que tels autres résistent aux mêmes moyens de persuasion. Quand on s'est bien mis dans la tête ces distinctions, il faut en observer les effets dans la vie pratique et pouvoir les suivre vivement par la pensée ; autrement, on n'est pas plus avancé que lorsque l'on était encore à l'école de ses maîtres. Mais lorsqu'on est à même de juger par quels discours tel homme peut être persuadé et qu'on peut, à la vue d'un individu, le pénétrer et se dire : Voilà l'homme, voilà le caractère dont on m'a fait leçon jadis ; il est là devant moi, et il faut lui appliquer des discours de telle sorte pour lui persuader telle chose ; quand on est maître de tous ces moyens, qu'on sait en outre discerner les occasions de parler ou de se taire, d'être concis, émouvant, véhément, et s'il est à propos ou mal à propos de recourir